AMOURS
ET AMITIÉS ENFANTINES

Ouvrage publié sous la direction d'Ariane Morris

Simone Gerber

AMOURS ET AMITIÉS ENFANTINES

•MARABOUT•

Du même auteur

Simone RUBIN, *Apprivoiser les maladies de bébé*,
Toulouse, Érès, 1998.

Sommaire

Introduction

Pourquoi un tel ouvrage ?

L'éveil à la relation affective, avec ses émotions, ses sentiments de pleins et de manques, se fait dès l'arrivée au monde du petit être humain. Aux différents âges et aux différents stades de son développement, l'autonomie d'un enfant évolue. D'étape en étape, les relations d'amour et d'amitié pour autrui suivent un cours plus ou moins paisible ou tumultueux qui évolue et se poursuit tout au long de la vie. Ce qui se vit à l'âge adulte diffère de ce que l'on observe pendant l'enfance, mais on peut reconnaître un certain nombre de similitudes dans les manifestations amoureuses et amicales entre adultes et celles vécues durant l'enfance. Ces traits communs sont riches en enseignements car ils nous rappellent notre histoire sentimentale et nous permettent d'interroger nos rencontres amicales, nos histoires d'amour au présent, autant que nos façons d'être plus ou moins attentifs, interrogatifs, indifférents, inquiets ou émus par ce que vivent nos enfants.

L'objet de cet ouvrage est d'appréhender la spécificité des relations affectives, amicales et amoureuses chez les enfants pendant ce temps dit « de latence » entre 6 et 12 ans, tout au long du cycle primaire jusqu'à l'entrée au collège. En effet, lorsque les enfants quittent peu à peu l'amour exclusif pour leurs parents et avant que surviennent les métamorphoses corporelles et psychiques de la puberté, ce temps de latence est aussi celui des attentes...

Qu'est-ce donc qu'espèrent et attendent les enfants ? Qu'est-ce qu'attendent et espèrent leurs parents ? Comment les uns et les autres traversent-ils cette période ? C'est pour tenter de répondre à ces questions parmi bien d'autres que nous avons choisi d'aborder ce temps de l'enfance.

Un des autres motifs de notre choix, c'est aussi que les thèmes concernant l'amour et l'amitié aux âges qui précèdent l'adolescence sont très peu traités, alors qu'il y a pléthore d'ouvrages sur l'adolescence proprement dite.

Serait-ce que les sentiments éprouvés à l'égard de l'autre ne deviennent intéressants qu'avec l'entrée dans la sexualité génitale ? Pourtant, comme on le verra à travers ma clinique et dans cet ouvrage, même si elles sont différentes de ce qui surviendra plus tard, les émotions suscitées par la vie relationnelle commencent très tôt dans la vie d'un enfant et ne cessent d'évoluer au fil de son développement en fonction de sa personnalité et de sa sensibilité et tout au long des événements qui surviennent dans sa vie familiale et sociale. C'est pourquoi il n'y a aucune raison de privilégier une période plutôt qu'une autre.

Pendant mes quarante années de pratique en tant que pédiatre et psychothérapeute, j'ai reçu beaucoup de témoignages d'enfants et de leurs parents sur les amours et les amitiés. De multiples questions m'ont été posées. Dans ma vie d'enfant, je me suis personnellement beaucoup interrogée sur l'amour que je recevais et que je portais à mes parents, sur les émotions que provoquaient en moi les rencontres avec les enfants que je côtoyais, sur la vie sentimentale que j'imaginais et que j'espérais pour ma vie future... Si j'ai choisi de travailler avec les enfants, c'est probablement que ma propre enfance, avec ses amitiés, ses passions, ses espérances et ses chagrins, est restée et demeure encore tout à fait vivante en ma mémoire. Devenue adulte, pédiatre, épouse, mère, puis grand-mère, le déroulement de ma vie personnelle et professionnelle a été transformé par l'étude de la psychologie et par la pratique personnelle et professionnelle de la psychanalyse. Mon écoute des enfants, de leurs parents et des personnes qui les entourent, guidée par les recherches et les études théoriques, m'a appris à repérer quelques jalons qui rythment l'évolution des affects. J'ai mesuré l'importance de prendre en compte l'environnement de chaque enfant : la place qu'il occupe au sein de sa généalogie, sa famille, sa fratrie, son cadre affectif, social et culturel. Devenue aujourd'hui une « ancienne », je ne cesse de m'interroger sur la place que je peux occuper auprès des individus et au sein de la collectivité, auprès des enfants et de leurs parents. Lorsque j'ai commencé à élaborer et à écrire ce livre, j'ai réinterrogé mon expérience de pédiatre et de psychothérapeute, j'ai interviewé des enfants, des parents, des éducateurs, des enseignants. Je me suis promenée dans la littérature, dans les textes d'écrivains et de poètes anciens ou contemporains qui content, aux petits et aux grands, ces temps indécis où garçons et filles, dans leurs premières rencontres, éprouvent leurs premiers émois et se risquent à la relation à l'autre, avec timidité, prudence, ardeur ou témérité.

L'objectif essentiel qui m'a guidée dans l'écriture de cet ouvrage est celui de tenter d'analyser, synthétiser et mettre en mots tout ce qui a nourri ma vie personnelle et professionnelle pour continuer à transmettre ce que j'ai reçu de mes prédécesseurs et que je continue à recevoir de mes contemporains. M'inscrire dans ces héritages, les renouveler et les transformer, afin que la pensée continue de s'élaborer, telle a été ma priorité ici. Le travail d'investigation et d'analyse, les rencontres avec adultes et enfants nécessités par l'écriture de cet ouvrage m'ont permis de mieux appréhender ce que vivent les enfants dans le monde d'aujourd'hui.

Dans mon désir de transmettre, je garde le modeste espoir d'apporter une aide aux parents dans les difficultés qu'ils rencontrent ou les interrogations qui les traversent. Mes rencontres avec les petits et les grands m'ont en effet permis d'être le témoin privilégié de préjugés qui induisent un certain nombre d'erreurs éducatives, de malentendus qui parasitent les relations, de réactions inappropriées qui conduisent à des ruptures douloureuses entre générations, perturbant à court et à long terme les histoires d'amitié et d'amour.

Je sais bien qu'un livre à lui tout seul ne peut tout résoudre, mais il permet d'élargir la réflexion et donc de dédramatiser certaines situations, et peut ainsi contribuer à faire évoluer les mentalités. Chaque lecteur procédera à sa propre lecture, prendra ce qui est bon pour lui et l'intégrera à sa propre pensée, comme moi-même j'ai construit mes hypothèses théoriques à partir d'ouvrages écrits par des praticiens, théoriciens, maîtres, initiateurs ou collègues. Toutes ces acquisitions, qui constituent des gains en savoir et en savoir-être, composent la « substantifique manne » dont chacun ou chacune peut se « nourrir » selon son appétence, ses certitudes, ses doutes, avant de composer sa propre nourriture et en faire don à son tour.

Dans un premier chapitre, nous décrirons comment se met en place la vie affective du tout jeune enfant, sa sensorialité et ses émotions dans les échanges avec sa mère et son père à partir des approches théoriques de l'anthropologie et de la psychanalyse.

Au chapitre deux, nous aborderons la naissance de l'amitié et de l'amour à l'occasion des premières socialisations de l'enfant : dans la famille élargie, à la crèche, dans les lieux d'accueil parents/enfants, à l'école maternelle, à l'école primaire et pendant les premières années du collège.

Le chapitre trois s'intéressera à l'expression de l'amour et de l'amitié entre les enfants, à l'évolution des émotions, des sentiments dans les relations avec autrui, de la petite enfance jusqu'à l'adolescence.

Le chapitre quatre essaie de cerner l'influence des attitudes, des comportements, des émotions et des paroles adultes sur la façon dont les enfants vont mener leur vie affective.

Le chapitre cinq s'attache à montrer les différentes possibilités offertes aux parents pour aider leurs enfants à vivre au mieux leur vie relationnelle amicale ou amoureuse, dans le respect de leur autonomie comme dans le respect des autres, enfants et adultes.

Ce livre sera illustré par de multiples exemples tirés de ma pratique (modifiés dans le respect de la confidentialité), de ma propre vie d'enfant et par de nombreux témoignages.

I

AU COMMENCEMENT
ÉTAIT LA LIBIDO

La vie affective exerce une influence majeure tout au long de la vie de chaque être humain. Elle débute dès que le bébé arrive au monde et probablement même pendant sa vie intra-utérine. Il est important de ne pas méconnaître l'existence de cette première histoire dans l'affectivité de chaque enfant, même si les commencements ne sont jamais déterminants et ne doivent jamais être considérés comme tels. Les interactions avec l'environnement ne cessent de participer à l'évolution de l'humain tout au long de son existence d'enfant ou d'adulte. Remonter dans le temps et voir comment se construit l'enfant sur le plan affectif de sa naissance à l'adolescence donne des clés de compréhension essentielles pour le connaître et éventuellement l'aider à traverser des périodes critiques sur le plan sentimental.

LE PETIT D'HOMME : UN ÊTRE DE DÉSIRS ET D'ÉMOTIONS

Ce qui est essentiel dans les messages que nous ont transmis Freud et ses successeurs, c'est le fait de reconnaître qu'un petit enfant est un être apte au plaisir. La découverte du plaisir par le corps et par la parole fonde les premiers liens d'amour avec les parents, avant que ces liens s'ouvrent aux autres, pour fonder d'autres liens d'amour et d'amitié. La libido, cette force vitale qui nous habite dès la naissance, lorsqu'elle peut s'ouvrir à autrui, nous permet de construire nos liens sociaux.

La libido se manifeste dès le commencement de la vie... Ce terme emprunté au latin par Freud peut se traduire comme « force de désir » ou comme « aimance » : capacité à aimer et à se faire aimer. « Manifestation dynamique et pulsionnelle de la vitalité corporelle et psychique » de l'être humain, elle est au service de tous les désirs qui forgent la vie relationnelle. Cette force de vie se manifeste dès que le bébé nouveau-né entre en relation avec la personne aimée que représente sa mère.

Le petit humain arrive au monde totalement immature, incapable de vivre s'il n'est pas alimenté, hydraté, habillé, tenu au chaud ou protégé des grandes chaleurs. La mère ou son substitut est la première personne qui le nourrit, le protège du froid, du chaud, satisfait ses besoins de base. Mais un enfant ne peut vivre et grandir dans un environnement qui ne fait que répondre à ses besoins. Dès sa naissance, le bébé habité par sa libido est un être humain relationnel, un être de désirs et d'émotions. Pour soutenir sa dynamique de vie, il doit être accueilli dans une vie relationnelle, faite d'échanges sensoriels et langagiers.

Sans vie relationnelle, l'enfant perd le goût de la vie. Nous savons que, dans les cas extrêmes – pour les enfants abandonnés dans des orphelinats, par exemple – où seuls les besoins sont assurés, non seulement les risques de maladie et de mort sont majeurs, mais aussi les risques de mort psychique qui mènent à la psychose. C'est le psychiatre René Spitz qui a décrit au siècle dernier « l'hospitalisme », c'est-à-dire le retrait psychique de ces enfants hospitalisés qui recevaient les soins de santé minimaux, en restant abandonnés à eux-mêmes dans leurs lits, sans contact de tendresse et de paroles. Ils perdaient le sourire, se repliaient sur eux-mêmes, se balançaient longuement comme s'ils se berçaient eux-mêmes. Ces comportements peuvent s'observer sur un mode mineur dans des conditions de vie normales. Par exemple, nous avons tous vu des petits enfants jouer avec leur sexe. Mais, chez les enfants souffrant de carences affectives, cela peut aller jusqu'à des pratiques autoérotiques compulsives et répétitives. L'autoérotisme étant un comportement sexuel où la personne, enfant ou adulte, trouve son plaisir avec son propre corps, pour son propre compte, sans recourir à un autre « objet », c'est-à-dire sans relation à une autre personne. Malheureusement, ces abandons sont encore à l'œuvre dans certaines familles en grande souffrance.

Mais, dans la majorité des cas, grâce à la présence maternelle, paternelle, par les offrandes alimentaires, les gestes, les odeurs, les paroles, l'enfant découvre le plaisir d'être nourri en aliments certes, mais tout autant en regards et en paroles. Il est porté, embrassé, touché, bercé, caressé, consolé, grondé. Ces premiers plaisirs, stimulations, sollicitations ou remontrances sont indispensables au développement de la vie affective, sensorielle et psychomotrice qui prépare à la vie relationnelle et sentimentale future. Ils sont les premiers supports de la vie tout court.

René Spitz : un pionnier de l'observation des nourrissons

René Arpad Spitz, médecin, psychiatre et psychanalyste d'origine hongroise, comme Ferenczi, est né à Vienne en 1887 et mort à Denver (Colorado) en 1974. Ayant fui le nazisme en 1933, il a vécu à Paris jusqu'en 1938 où il a enseigné la psychanalyse à la Sorbonne et dirigé de nombreux séminaires. C'est à Paris que l'étudiante Françoise Marette, future Mme Dolto, rencontre René Spitz et suit avec un immense intérêt son enseignement et ses recherches sur les jeunes enfants.

Il est surtout connu pour ses travaux sur les nourrissons. Ses découvertes ont profondément remis en question les conditions d'hospitalisation des nourrissons comme de leur accueil dans les orphelinats. Il développe également l'idée d'une médecine préventive des troubles du bébé et de l'enfant. Avec l'aide de nouvelles techniques d'observation des nourrissons (observations cliniques, films, tests...), il est un des premiers psychiatres qui étudie les bébés de la naissance à 2 ans. C'est lui qui crée le concept d'*hospitalisme*, comme ceux de *carence relationnelle*, d'*abandonnisme* et de *dépression* chez les bébés. En 1945, il fonde avec trois autres psychanalystes, dont Anna Freud, la revue *The Psychoanalytic Study of the Child* (*L'Étude psychanalytique de l'enfant*), dans laquelle il publie un article essentiel sur l'hospitalisme. Il y décrit les troubles qui atteignent les enfants lorsqu'ils sont abandonnés en séjour prolongé à l'hôpital ou en institution. S'il utilise des outils d'observation pour étudier, par exemple, le sourire, la relation aux personnes et aux objets afin de déceler des troubles et indiquer l'évolution du bien-être vers le mal-être, il ne cesse de s'intéresser à la vie psychique des profondeurs. Il ne se situe jamais du côté des comportementalistes car il se réfère en permanence aux hypothèses et aux concepts psychanalytiques. Ses travaux ont considérablement enrichi les théories et les connaissances dans le domaine de la psychanalyse des jeunes enfants. Par ses documents cinématographiques, ses articles, ses conférences dans de nombreux pays, il diffuse ses connaissances sur les bébés, les enfants dans leurs relations avec leur mère et avec les adultes qui les soignent et les éduquent. Il forme ainsi de nombreux élèves. L'attention aujourd'hui portée aux bébés et aux enfants hospitalisés, à ceux qui sont confiés aux pouponnières et aux orphelinats constitue l'un des héritages essentiels de ce médecin pionnier.

L'EXPÉRIENCE DU MANQUE POUR SORTIR DE LA BULLE FAMILIALE

C'est avec la mère aussi que l'enfant apprend le manque, les déplaisirs qui suscitent les émotions désagréables se manifestant par des pleurs. Une mère ne peut jamais être présente en permanence, elle peut avoir des gestes brusques et maladroits car elle est parfois affectée par ses soucis, préoccupée par ses autres enfants, par sa relation au père de l'enfant, par les soucis de ses propres parents. Dans sa vie affective, lorsqu'elle traverse des moments difficiles, elle s'éloigne en pensée de son enfant. Elle peut s'absenter dans la réalité, être moins présente pour un temps plus ou moins long de la relation affective à son enfant. Celui-ci fait alors l'expérience de frustrations plus ou moins intenses, de plus ou moins longue durée. Toute vie comporte des moments moins harmonieux. La mère ne peut être en permanence disponible. Et tout enfant apprend que ses désirs ne peuvent et ne sont pas toujours comblés. Françoise Dolto n'a cessé de nous dire et redire que, si « manger est indispensable, [...] nous, adultes, devons constamment faire la différence entre la nécessité de satisfaire les besoins indispensables de l'enfant et l'exigence de ne jamais satisfaire tous ses désirs ». Et, pour apprendre aux enfants à avoir des sentiments pour d'autres que leurs parents : « Les désirs, il faut en parler, les satisfaire un tout petit peu, mais en expliquant qu'ils ne pourront jamais être totalement satisfaits. » En effet, un enfant ne peut apprendre à reconnaître ses propres émotions, à construire sa vie affective, s'il ne fait pas l'apprentissage du manque. C'est par la frustration qu'il apprend à se distinguer de sa mère, à la distinguer des autres personnes et de son environnement. Si ses désirs sont comblés en permanence, il ne peut identifier autrui comme séparé de lui-même. Il demeure dans un monde indifférencié qui doit continuer à le satisfaire en permanence. Il aura du mal à établir une relation avec un autre qui ne soit pas possessive et fusionnelle. Ce sont les contrastes qui nous apprennent à reconnaître les différences. De même, ce sont les attentes qui nous apprennent que l'autre dans l'amour existe. Gavé de stimulations, de sons, de couleurs, de contacts, de douceurs et de paroles, l'enfant n'éprouvera pas le besoin de rencontrer autrui. C'est en lui permettant d'éprouver le manque ou la perte qu'il apprendra à avoir des sentiments pour d'autres. Par ailleurs, si tout lui est dû, toute frustration future sera source d'un sentiment de grande perte et d'angoisse. Ces situations de trop-plein dans une certaine mesure rejoignent les grands manques. Pour se construire, certes un enfant doit recevoir suffisamment d'amour pour fonder sa propre sécurité affective de base, mais penser que rien ne doit jamais lui manquer, c'est être dans l'illusion de la toute-puissance, c'est se préserver soi-même comme adulte des contraintes liées à l'éducation. Toute éducation nécessite de supporter le conflit, d'être celui ou celle qui apporte les joies et parfois les chagrins. Éduquer, c'est aussi apprendre à contraindre, ne pas céder à toutes les demandes, apprendre à négocier avec un enfant. Entre le trop et le pas assez, il s'agit de « naviguer » à vue, comme on dirige un voilier entre les vents debout et les vents contraires. Céder à tous les désirs ou ne céder à aucun, c'est laisser le bateau aller à la dérive, avec le risque de couler ! Le pédiatre et psychanalyste anglais Winnicott parle de la mère « suffisamment bonne ». *Suffisamment* signifie « pas toujours bonne », mais bonne comme elle le peut, avec ses pleins et ses manques dont elle tente de prendre conscience. J'ajouterai : « responsable mais pas coupable, vigilante envers son enfant avec parfois un peu d'abandon »... Bien entendu, cette mère a elle aussi besoin d'être guidée et soutenue. Pour être « à peu près » bonne, elle ne peut se suffire à elle-même. Pour elle-même comme pour son enfant, ses désirs doivent être « à peu près » reconnus et satisfaits, dans une relation à une autre personne, que celle-ci soit le mari, le père de l'enfant ou le compagnon de la mère. Pour donner de la sécurité, la mère doit en avoir elle-même.

ÉPROUVER DES SENTIMENTS POUR D'AUTRES QUE SES PARENTS

C'est ainsi que progressivement, au contact de ses parents ou de ses éducateurs, avec leurs moments partagés de plénitude, de bonheur et de manques, un enfant se développe psychiquement et corporellement et peut entrer en relation avec d'autres personnes. Il est important de savoir que chaque enfant possède sa propre personnalité, sa propre sensibilité, sa propre réactivité. Il n'est pas d'humeur égale lui non plus... Certains enfants ont une grande dynamique de vie, d'autres semblent plus tranquilles. Hugo, par exemple, est très tôt passionné par la découverte des objets. Il les tourne et retourne dans ses mains puis dans sa bouche. Il réagit aux paroles et aux bruits en tournant rapidement son regard vers l'origine du bruit ou vers la personne qui lui parle. Au square, dès qu'il marche à quatre pattes, puis seul sur ses jambes, il s'intéresse aux autres bébés et aux enfants plus grands qu'il sollicite avec ardeur et enthousiasme. Laurent, son cousin, a le même âge que Hugo. Ils passent tous deux leurs journées chez leur grand-mère qui les garde. Laurent est beaucoup plus tranquille que Hugo. Un long temps d'observation et d'attente lui est nécessaire avant qu'il se déplace, qu'il explore son environnement. Ses gestes sont plus lents. Lorsque j'examine son audition avec les sons de mes boîtes à musique ou mes clochettes, il prend son temps avant de tourner la tête. Il aime jouer avec les autres enfants, mais il les aborde avec beaucoup plus de précautions que son cousin. Le comportement visible ne reflète pas toujours l'intensité des émotions. En fonction des contextes de vie, ces traits de caractère évoluent avec l'âge. Ils ne sont jamais fixés définitivement. C'est en apprenant, avec l'aide des adultes, à faire la distinction entre ses multiples désirs, en faisant l'expérience du manque que l'enfant développe ses compétences à susciter les échanges, qui, peu à peu, le conduiront à éprouver des sentiments pour d'autres personnes que ses parents.

Pour quitter la bulle familiale, découvrir qu'il possède une identité séparée de celle de ses proches, franchir les étapes qui le mèneront à l'autonomie, il lui faudra prendre appui sur la sécurité affective offerte par ses parents. C'est surtout le père, par sa présence réelle autant que symbolique, et les autres personnes plus ou moins proches de son environnement social qui permettront à l'enfant de s'ouvrir sur le monde extérieur. Par ses gestes et ses paroles, le père soutient l'enfant et lui permet de prendre conscience qu'il est une personne séparée de sa mère, apte à éprouver ses propres sentiments.

COMMENT LE BÉBÉ ENTRE EN RELATION

Grâce à son développement cérébral, sensoriel et psycho-moteur, progressivement le nouveau-né quitte le regard exclusif de sa mère, pour s'intéresser et sourire à autrui. Vers l'âge de 4 mois, le bébé commence à saisir les objets, il contrôle le tonus de sa tête et de son tronc, et peut diriger volontairement son regard vers l'extérieur. La station assise, la station debout, le « quatre pattes », la marche élargissent ses capacités relationnelles ; il répond de mieux en mieux aux sollicitations des autres personnes, adultes et enfants. La « bulle » protectrice englobant la mère et l'enfant s'ouvre progressivement et différemment selon les modalités de la vie affective, familiale, sociale et culturelle. Ainsi, pour prendre le risque d'aller vers une personne étrangère, l'enfant doit être habité par un sentiment de sécurité suffisamment important.

Ce qui demeure en chaque personne de la première relation maternelle constitue probablement ce que l'on appelle « notre espace intime ». Pour quitter cet espace intime, entrer dans un espace social, utiliser la possibilité de développer des liens plus personnels, le petit humain s'appuie sur cette sécurité qu'il a progressivement conquise. Les espaces définis comme « transitionnels » par Winnicott sont comme une extension du premier territoire, qui permet le premier voyage hors soi, la première incursion dans un espace extra-familial. Fort de la mémoire de ses premiers voyages, l'enfant élargit son enveloppe intime et autorise autrui à s'en approcher. Ceci correspond aux moments où le petit enfant peut ressentir une attirance et des émotions pour l'autre extérieur à ses parents. Cette attirance peut s'exprimer par des manifestations de joie, dans son langage oral, dans son approche corporelle, par des gestes d'invite et une attitude de grande bienveillance envers un autre enfant. Ceci est souvent observé par les parents et les professionnel(le)s qui travaillent avec les tout-petits, comme nous le montrent les films réalisés à la crèche Löczy. Nous verrons comment les objets dits « transitionnels » (poupées, peluches, tissus...) et pas uniquement les objets, mais aussi les jeux, les productions musicales et langagières permettent les premières approches, les premières amitiés en dehors de la famille.

L'institut-crèche Löczy

Dans cette pouponnière hongroise fondée à Budapest en 1946 par la pédiatre Emmi Pikler pour y accueillir des enfants orphelins de guerre, puis dans les années qui ont suivi des bébés, des enfants en situation familiale problématique, a été mise en œuvre une pédagogie tout à fait innovante. La grande liberté de mouvements offerte aux bébés est toujours accompagnée par les paroles des éducatrices. Cet institut a été découvert par les psychiatres Myriam David et Geneviève Appel qui ont fait connaître ses méthodes auprès du personnel des pouponnières en France. Une Fondation Löczy-Pikler a été créée qui organise des formations et diffuse des vidéos et des ouvrages sur Löczy et sur l'assistance à la petite enfance. Dans une des vidéos sur cet institut, on peut observer de multiples scènes enregistrées par la caméra. On y voit, par exemple, des bébés de 1 à 2 ans se diriger vers d'autres de leur âge ou vers des plus petits qui sont encore dans leur berceau. Une des scènes montre un garçon de 13 mois se diriger à quatre pattes vers un autre plus jeune qui pleure. Il se hisse en s'agrippant au rebord du lit et, à travers les barreaux, il tend au bébé une sucette que celui-ci commence par refuser. Le plus grand insiste, sans succès. Il saisit alors un jouet de plastique assez long qu'il met dans sa propre bouche, s'approche de celui qui exprime son gros chagrin, et lui propose l'objet. Le premier manifeste sa surprise, son étonnement. Puis il saisit l'extrémité libre de l'objet, la met en bouche et le tète avec énergie. Les pleurs s'arrêtent. Un jeu s'instaure : le plus grand retire l'objet de la bouche du « petit copain », celui-ci recommence à pleurer. À nouveau le plus grand se rapproche pour offrir l'extrémité libre du jouet que le bébé « pleureur » saisit pour le remettre en bouche. Le jeu visiblement plaît aux deux bébés qui le réitèrent à plusieurs reprises. On voit comment une relation s'est instaurée par l'intermédiaire de cet objet. Un troisième arrive et, entre les trois, un nouveau jeu d'échanges s'installe. L'objet passe de la main puis de la bouche de l'un à l'autre. Tout ceci dure de longues minutes. Enfin, l'objet est relâché, puis tombe à terre. Le bébé a cessé de pleurer. Un quatrième s'empare de l'objet et s'éloigne. La relation à deux puis à trois a permis au chagrin du bébé de s'apaiser. D'autres scènes nous montrent comment les bébés très jeunes jouent ensemble et comment des relations privilégiées se nouent entre certains d'entre eux.

Comme nous le montre l'exemple de la crèche Löczy, même si elles sont tout à fait différentes de celles de l'enfant plus grand et de l'adulte, les manifestations d'amitié peuvent s'observer très tôt dans la vie. Certains bébés développant des sentiments de sympathie ou même d'antipathie vis-à-vis d'un autre, avec des sourires, des gestes de tendresse ou des pleurs accompagnés de gestes agressifs dès la première rencontre. Ceci était méconnu et totalement nié car, jusque dans les années 1970, les théories psychologiques énonçaient que les bébés n'avaient aucune aptitude à entrer en relation les uns avec les autres. Des psychanalystes comme Françoise Dolto en France et D. Terry Brazelton aux États-Unis nous ont, les premiers, montré que les bébés étaient des « personnes » aptes à la relation. Certes, ces relations sont au début légères et de courte durée. Elles s'approfondissent avec l'âge lorsque les sentiments peuvent s'énoncer en paroles. En effet, à son premier stade de l'évolution, le petit humain est « irréfléchi », il ne possède pas la parole. C'est au stade suivant, dans sa deuxième année, qu'il entre peu à peu dans le langage des mots. Pour exprimer ses sentiments, le bébé possède sa motricité, c'est-à-dire les gestes de ses mains, les mouvements de son corps, l'expression de son visage, ses moues, ses sourires, ses rires, ses pleurs, ses murmures, et déjà tout un langage avec des intonations, lors de ses gazouillis, de son babillage, puis de ses vocalises.

L'ENTRÉE EN AMITIÉ

À des moments très variables d'un enfant à l'autre – disons : entre 10 mois et 3 ans – apparaissent les premiers mots, les premières phrases. Depuis que nous savons que « le bébé est une personne », nous avons appris à observer qu'un tout petit enfant qui entre dans le langage oral peut manifester de la sympathie et, plus rarement – mais cela peut se voir –, de l'antipathie envers un autre. Ces sentiments peuvent s'exprimer entre 7 ou 8 mois et 18 mois ou 2 ans. Les jeux permettent à la relation de s'instaurer ; au début, les rencontres sont le plus souvent éphémères. Après avoir joué et ri ensemble, les enfants se séparent sans difficulté. En jouant ensemble, ils apprennent à se connaître, à prendre en compte l'existence de l'autre, semblable et différent. Pour cela, il est nécessaire de reconnaître ses propres impulsions, ses propres sentiments, ainsi que ceux de l'autre, afin de négocier, de s'apprivoiser mutuellement. Les mouvements parfois brusques et maladroits des petits enfants les uns envers les autres marquent le début d'une relation, le désir d'une rencontre. Afin que les enfants apprennent à reconnaître ce désir parfois maladroitement exprimé, l'aide des adultes est indispensable. Une rencontre peut en effet commencer par des gestes agressifs, une dispute autour d'un objet convoité, existerait-il en double ou triple exemplaire, serait-il délaissé aussitôt que possédé.

L'enfant qui ne maîtrise pas encore le langage n'a pas le mode d'emploi pour en approcher un autre. Quand il essaie de prendre des mains le camion que le copain a, ce n'est pas tant pour posséder l'objet que pour entrer en relation avec l'autre enfant. Tout ce qui est proche de lui appartient à son intimité. Au sein de cet espace intime, qu'Edward Hall décrit à l'aide du concept de proxémie, l'objet n'est pas vu séparé de celui qui le tient en main. Le camion sur lequel le petit Antoine est assis est vu par Pierre comme une prolongation du corps d'Antoine. Ce désir « fou » de posséder l'objet ou un morceau du corps de l'autre en le mordant peut témoigner du désir d'intégrer l'autre dans sa propre bulle intime au sens le plus archaïque. Si l'adulte est apte à envisager ce geste agressif comme une demande de devenir copain, il peut le formuler à l'enfant et lui expliquer qu'une demande, ça peut se dire avec des paroles : « S'il te plaît, je peux jouer avec toi ? S'il te plaît, tu peux me prêter ton camion ? » À l'opposé, si l'adulte sanctionne l'enfant pour son geste, il ne l'encourage pas à aller vers l'autre, il ne favorise pas les liens qui pourraient s'instaurer.

Le concept de proxémie

Pour construire ses relations d'amitié depuis la petite enfance jusqu'à l'adolescence, puis l'âge adulte, l'enfant doit franchir un certain nombre d'étapes. Il lui faut habiter son univers intime avant d'acquérir la possibilité d'y introduire une personne étrangère. L'anthropologue américain

Edward Hall a fait des recherches sur les multiples façons qu'ont les adultes d'établir des relations avec leurs semblables dans le temps et dans l'espace en fonction de leurs cultures différentes. Il a élaboré le concept de proxémie qui peut nous fournir une aide précieuse pour observer et analyser les modes relationnels qui s'instaurent entre les enfants de la petite enfance à l'adolescence.

Dans deux de ses ouvrages – *La Dimension cachée* et *Le Langage silencieux* –, Hall définit quatre sortes de distances : la distance publique, la distance sociale, la distance personnelle, la distance intime. La distance sociale pour un adulte, c'est celle qui existe entre 1,75 et 4 m, entre une et deux fois la hauteur du corps adulte, lorsque la silhouette humaine peut être vue dans son entier dès le premier regard et perçue dans sa totalité. Un homme vu à partir de 4 m est perçu comme une silhouette et n'a qu'un faible rapport avec notre personne. Au contraire, de près, à une très faible distance, la vision de l'autre devient de plus en plus parcellaire, le visage n'est vu que par ses petits segments : un œil ou les deux yeux qui se touchent et qui louchent, une bouche, une oreille, une joue qui s'interpénètrent les unes les autres (comme on peut le voir dans certaines œuvres de Picasso). Le corps est perçu par l'odeur et la sensorialité cutanée : ces impressions sont celles que nous apporte la distance de l'intimité. À mi-parcours entre la distance intime et la distance sociale, la proxémie définit l'existence de la distance personnelle. Au-delà de 4 m, il s'agit de la distance publique.

Comme je l'ai observé à ma consultation, l'enfant qui marche quitte volontiers un premier espace (celui de la salle d'attente) pour en découvrir un autre (mon cabinet de consultations) en présence de sa mère ou de son père. Lorsqu'il entre dans cet autre espace, en l'occurrence celui de mon bureau de consultations, il aime emporter l'objet favori qui est le sien ou un autre objet qu'il a trouvé et apprécié dans la salle d'attente. Il lâche le premier objet dès qu'il a apprivoisé mon espace, quitte à le redemander pour se réassurer. Souvent il émet le désir de garder cet objet qu'il a fait sien, lorsqu'il part, afin de mieux quitter mon espace.

En étendant le concept de proxémie et les mesures faites par Edward Hall au monde de l'enfance, nous découvrons que, pour un bébé de 18 mois qui mesure à peu près 85 cm, c'est à 1,70 m que commence l'espace social, alors que l'enfant n'a pas encore d'aptitude à avoir des relations sociales. La distance sociale pour un enfant de cet âge est donc proportionnellement plus grande que pour un adulte et, pour que les relations soient intimes, il faut donc une très grande proximité dans l'espace. Il peut être intéressant pour les parents comme pour les professionnels de connaître ces notions de proxémie afin de mieux appréhender comment les enfants, les bébés deviennent aptes à passer de la distance intime avec leur mère et les personnes qui leur apportent affection, soins et nourriture à la distance personnelle, puis à la distance sociale. La distance publique n'est appréhendée que beaucoup plus tardivement, à l'approche de l'adolescence et de l'âge adulte – lorsque l'enfant s'adresse à un groupe, fait du théâtre ou fait un exposé en classe, par exemple.

Il est également instructif pour des parents d'observer comment leur enfant entre en relation avec les autres enfants et franchit avec l'âge les frontières qui lui permettent de quitter l'espace « intime » pour aller vers l'espace « personnel » puis vers l'espace « social ». Les recherches en proxémie nous montrent également que ces distances ne sont pas universelles. Elles varient en fonction des contextes familiaux, éducatifs et du caractère très singulier de chaque individu, mais tout autant de l'origine culturelle de la personne. Dans la culture méditerranéenne, par exemple, les relations sociales sont moins respectueuses de l'espace personnel et intime qu'elles ne le sont dans les cultures nordiques. Un habitant du nord ou de l'est de l'Europe peut être choqué par la proximité que les Méditerranéens maintiennent entre eux dans leurs relations : pour se parler, travailler ensemble, en dehors même de tout lien d'amitié, les personnes du sud de l'Europe peuvent se toucher, se tenir très proches les unes des autres. Ces modes culturels d'entrée en relation ont des répercussions sur la façon d'éduquer un enfant. Avant d'émettre un jugement sur un enfant qui, par exemple, peut sembler intrusif dans sa façon d'aborder un adulte ou un autre enfant, il peut être utile de savoir que, peut-être, les règles de courtoisie de ses parents ne sont pas les mêmes que celles du pays où il est amené à grandir.

L'objet transitionnel

Le concept d'objet transitionnel a été élaboré par Winnicott, pédiatre et psychanalyste anglais. Selon cet auteur, cet « objet », qui peut être un doudou, un bout de tissu, un foulard appartenant à la mère, se situe dans un espace qu'il qualifie de « transitionnel » entre la mère et l'enfant. En effet, le tout jeune bébé au contact de sa mère ne distingue guère son monde interne du monde qui lui est extérieur. La mère est intériorisée dans le monde psychique du bébé. Un objet offert par la mère s'imprègne de sa présence, de son odeur, il s'imprègne également de la présence et de l'odeur du bébé. Il appartient alors tant à la mère qu'à son enfant. Il est possédé par l'une (la mère) avant de passer à l'autre (le bébé). Il appartient à chacun des deux en même temps qu'il est dans « l'entre-deux ».

Grâce à cet objet, se crée une illusion de présence maternelle en l'absence de la mère. C'est ainsi que progressivement le bébé arrive à quitter celle-ci pour entrer en contact avec son environnement. Le comportement des enfants, petits et grands, nous indique bien l'existence de cette zone décrite par Winnicott ; en effet, la sympathie pour autrui se manifeste le plus souvent par le don ou le prêt d'un objet que l'on peut en effet dénommer « transitionnel ». À partir du premier échange du bébé avec la mère et le père, l'objet « transite » ensuite d'un enfant à un autre, comme on peut l'observer dans les lieux d'accueil collectifs tels que les crèches, haltes-garderies et autres.

On passe ainsi progressivement de l'enfance à l'adolescence à un espace dit « potentiel ». Cet espace possède la propriété de mettre en relation deux ou plusieurs autres personnes car il incorpore des objets qui sont capables de passer entre les unes et les autres. Ce seront, d'abord chez les petits de la maternelle puis ceux de la grande école, des peluches, des poupées, des objets moelleux ou des objets durs : des jouets, des balles, des petites ou grandes automobiles... Les jeux symboliques peuplent également cet espace : des livres, des poèmes, des chansons. Chez les enfants plus grands et les préadolescents (c'est-à-dire aux âges qui nous intéressent dans cet ouvrage), l'espace potentiel s'enrichit progressivement de jeux symboliques et d'objets culturels, tels que des livres, des musiques, des chansons. Les photos de stars de la chanson, du cinéma ou du sport, des collections d'objets en font aussi partie. Plus tard, ce sera l'ensemble des productions culturelles créées par les êtres humains qui prendront cette place. C'est dans cet espace de créativité que pourront également s'instaurer les liens d'amour et d'amitié.

QUAND AMOUR ET AMITIÉ SONT INDIFFÉRENCIÉS

Entre 2 et 3 ans, la sexualité est encore dans sa phase œdipienne, c'est-à-dire orientée sur l'un ou l'autre parent. La psychomotricité, le développement du langage n'ont pas acquis une maturité qui permet à l'enfant d'établir une distinction entre ses différentes émotions. Tous les événements sont perçus dans son espace intime. Il n'entre pas encore dans l'espace social, celui où peuvent se développer des amitiés. Si le petit enfant, comme nous l'avons vu, est parfois apte à ressentir des affects plus intenses et des élans vers l'un(e) ou plusieurs autres, son développement psychique et ses compétences limitées en matière sociale et relationnelle le laissent dans une certaine confusion des sentiments. L'amour qui fait partie de l'intimité, l'amitié qui est plus du côté de la sociabilité ne peuvent être distingués l'un de l'autre. Comme le petit enfant ne peut rien énoncer de ce qu'il ressent, ce sont les parents ou les autres adultes qui mettent leurs propres mots sur la façon dont eux perçoivent ses comportements. Les parents encore très impliqués dans leurs relations affectives avec leurs enfants parlent d'« amour » lorsqu'ils observent un élan entre un garçon et une fille, ils parlent d'« amitié » lorsque les enfants sont de même sexe. Leurs termes désignent leur propre affectivité et pas celle de l'enfant incapable de nommer ce qu'il ressent.

L'EXPRESSION DES ÉMOTIONS ENTRE 2 ET 3 ANS

Première histoire d'amour à la crèche

Chaque matin lorsqu'elle arrive à la crèche, Cécilia, 2 ans et demi, se met en attente. Elle s'assied sur le tapis, immobile, le pouce en bouche, et guette l'arrivée de Ricardo. Lorsqu'il arrive, elle chantonne et rit aux éclats. Elle se dirige vers lui avec un ours en peluche mauve, celui que Ricardo choisit chaque matin lorsqu'il arrive avec sa maman ou son papa. Au fil des jours, des semaines, les rituels d'attente et d'accueil, les gestes de tendresse, la recherche de proximité évoquent une histoire d'amour. Lorsque Ricardo arrive le premier, c'est lui qui l'attend et qui propose à Cécilia soit son propre doudou, soit le même petit ours mauve qui est devenu leur fétiche partagé. Ils partagent leurs jeux, ils demandent à s'asseoir l'un à côté de l'autre, pour jouer, pour manger, pour peindre et dessiner. Ils demandent à dormir dans des petits lits voisins. Les éducatrices sont très émues par cette forte amitié (qui s'est d'ailleurs poursuivie en classe mater- nelle). Les liens entre les enfants étaient si forts que, à leur demande, les parents se sont rencontrés, puis se sont invités de plus en plus souvent en dehors même des rencontres entre leurs enfants. Il arrive fréquemment que les enfants soient ainsi à l'origine d'amitiés entre adultes.

Une directrice de crèche m'a dit que, durant sa carrière d'une vingtaine d'années, elle a ainsi assisté à une dizaine de liens très forts, très émouvants entre enfants qui ont perduré de longues années lorsque les parents ne quittaient pas la région. Elle a gardé le souve- nir de plusieurs amitiés entre enfants qui se sont poursuivies jusqu'à l'adolescence, d'autant plus que parents et enfants même devenus adolescents étaient ravis de venir lui rendre visite bien des années après avoir quitté ce premier lieu collectif de leur petite enfance.

Après 2 ans, progressivement, grâce aux échanges avec les adultes, les mots isolés dans un vocabulaire res- treint deviennent de plus en plus nombreux et, lorsque la palette de mots s'organise en phrases plus complexes, l'enfant peut exprimer ses sentiments avec une plus grande justesse, un plus grand raffinement. Grâce à l'ap- prentissage de la parole, les émotions ne sont plus dans l'implicite, l'innommé : elles ne prêtent plus à confusion. Dans la mesure où l'adulte est respectueux de ce que vit l'enfant et ne lui impose pas un moule standard de comportement ni une formulation stéréotypée, il permet à celui-ci de faire évoluer le registre de ses émotions et d'exprimer toutes les nuances possibles dans la gamme des sentiments. Comme les sons se transforment et deviennent musique, les enfants captent les mots, saisissent leurs significations, les associent les uns aux autres pour élaborer leurs pensées. Le langage s'enrichit progressivement, éclaire l'enfant sur ses propres sensations et donne un sens à ses paroles. Un enfant se construit comme un « poème, cette hésitation prolongée entre le son et le sens », selon la belle expression de Paul Valéry. Avant les premiers mots puis les premières phrases, progressivement par la « méthode » des essais et erreurs, en fonction des réactions sensibles, des réponses gestuelles et parlées de l'adulte, l'enfant prend progressivement conscience de la force des mots et de leur pouvoir sur la communication avec autrui. À son rythme propre, qu'il est essentiel de respecter par des réponses appropriées qui favorisent les interactions sans brusquerie ni recherche de performances, l'enfant apprend à construire sa parole. Il associe les phrases les unes aux autres pour leur donner un sens et donner forme à ses pensées. Une activité narrative se développe, les récits qui en ressortent retentissent sur les sentiments, leur permettant de s'approfondir. C'est à partir de l'âge de 3 ans à peu près que les enfants commencent à posséder les mots, les phrases pour exprimer leurs sentiments. En même temps, ils acquièrent une plus grande maîtrise corporelle. Les paroles des adultes sont mieux entendues, et même si l'enfant ne sait pas encore bien écouter, il devient apte à modifier de façon active ses actions spontanées. Pour approcher l'autre, pour exprimer sa tendresse ou son désaccord, les gestes deviennent moins brusques. La langue du corps et des mots s'apprend, s'élabore et devient plus subtile. Lorsqu'il ne suffit plus de se toucher et qu'il devient possible de se parler, l'amitié, l'amour prennent une dimension nouvelle. Comme les sources deviennent ruisseaux, rivières, puis fleuves plus ou moins paisibles ou tumultueux, ces sentiments effectueront un long chemin qui traversera la petite enfance, l'enfance, puis l'adolescence, avant de parvenir à « l'âge d'homme » qui désigne l'être humain adulte, qu'il soit homme ou femme. À la différence d'un petit d'animal qui très vite, sinon dès sa naissance, peut se développer sans être proche de ses parents, le petit humain, pendant de longues années, a besoin de parents, de famille, d'un milieu social où il fait ses apprentissages. L'enfant ne cesse de tracer son chemin pour sortir progressivement de la période où il était dominé par ses pulsions. Son corps se transforme au fil des années. Ses affects ne cessent d'évoluer. Les sentiments qui l'habitent sont imprécis et indéterminés ; il en a une perception confuse, mais éprouve autant de mal à les énoncer pour lui-même qu'à les exprimer pour autrui. Même si les amitiés et les amours entre les enfants peuvent évoquer celles des adultes, il est tout à fait essentiel que les adultes n'en soient pas dupes. L'amour comme l'amitié nécessitent l'autonomie sociale, affective et cognitive pour se développer pleinement. Cette accession à la maturité passe par des expériences, des réussites, des échecs, des va-et-vient entre le milieu et l'individu. Toutes les périodes de la vie, y compris la vieillesse, sont concernées par ces apprentissages, mais les premières années de la vie sont particulièrement importantes pour l'apprentissage des relations. Les découvertes en neurobiologie corroborent les hypothèses des chercheurs qui étudient l'évolution du psychisme. Elles démontrent en effet que les connexions neuronales (nous disposons de cent milliards de neurones, chacun connecté à plusieurs milliers d'autres par les synapses) s'enrichissent au fur et à mesure des contacts et des stimulations apportés par l'environnement.

DE L'AMOUR POUR PAPA/MAMAN À L'AMITIÉ
OU L'INIMITIÉ POUR LES AUTRES

Les rivalités entre enfants

Pour la plupart des enfants, le temps de l'école maternelle, à partir de 3 ans, est le plus souvent celui des débuts de la socialisation, des rencontres et des amitiés. Les temps scolaires et périscolaires sont les plus propices aux rencontres neutres comme aux rencontres affectueuses. Les contacts commencent parfois de manière inattendue et fortuite : par exemple, en fonction des places qui sont attribuées dans la classe. Dans la cour de l'école, ce sont les affinités qui rassemblent les enfants, ceci sans distinction de sexe. L'observation des petits enfants montre combien les amitiés peuvent être fortes à ces âges. Amitiés qui ne sont pas exemptes de disputes, de rivalités dès ces plus jeunes âges.

Dès ces jeunes âges, en effet, l'amour ou l'amitié peuvent susciter des rivalités. Lorsque deux enfants sont amis, un troisième peut tenter de « séduire » l'un des deux et réussir à éloigner un enfant d'un autre. Le délaissé exprime alors son « gros » chagrin par des gestes violents, des crises de colère, des pleurs bruyants... Ces unions déstabilisées peuvent donner lieu à quelques cris, quelques bagarres. Elles sont sans gravité si l'enfant « abandonné » peut recevoir sa dose de réconfort et de tendresse de la part d'un adulte, dans les limites du respect de l'individualité de l'enfant. Il faut savoir aussi qu'à partir de 3 ou 4 ans, on peut souvent faire confiance à un enfant pour qu'il organise par lui-même ses relations, qu'il tempère ses ardeurs, comme ses chagrins d'amour ou d'amitié. Certains enfants sont aptes à se débrouiller, à modérer leurs peines, d'autres le sont moins, mais ne peuvent progresser que s'ils ne sont pas excessivement protégés de ce type d'expériences. En effet, lorsque des parents soucieux du bien-être permanent de leur enfant tentent de l'installer dans un cocon avec de trop douces barrières pour le protéger des émotions fortes, des chagrins, des déceptions, ils risquent de plonger cet enfant dans un isolement affectif qui augmente sa fragilité. Cet isolement étant fort heureusement impossible à maintenir dans le temps, l'enfant dans ses rencontres ultérieures n'aura pas appris à entrer en contact avec d'autres. Il ne connaîtra pas le « mode d'emploi » qui permet d'« expérimenter » les aléas des rencontres, celles qui sont heureuses comme celles qui le sont moins. Il peut en résulter des élans vers autrui excessifs qui risquent de surprendre et provoquer l'éloignement des autres enfants ou, au contraire, une crainte tout aussi excessive qui tient l'enfant éloigné de toute rencontre. Les relations avec autrui nécessitent une certaine forme d'apprentissage. Entre une protection exagérée et l'absence d'accompagnement, une juste mesure est à trouver.

Les amis imaginaires

Pour se protéger des autres et des émotions qu'ils provoquent en eux, certains enfants s'inventent des amis imaginaires. Les amitiés imaginaires s'observent vers 4, 5 ou même 6 ans. L'enfant croit encore au Père Noël, il vit dans un monde magique, qui peut évoquer l'affabulation ou même le mensonge. Les ami(e)s imaginaires peuvent « s'installer » auprès d'un enfant à l'âge de l'école maternelle, peu avant ou après l'entrée en primaire. L'enfant décrit avec force détails l'aspect et les comportements de cet(te) ami(e), ses états d'âme, ses traits de caractère, son sexe, lui donne un nom, un prénom. Alors que ce personnage n'existe pas dans la réalité, les récits qu'en font les enfants peuvent apparaître si véridiques qu'ils intriguent beaucoup les parents.

Ces croyances et ces récits sont à situer dans l'aire transitionnelle telle que la décrit Winnicott avant que l'enfant quitte progressivement son univers intérieur pour accéder à celui des autres, adultes et enfants. Il est en transit, il s'éloigne peu à peu de la toute-puissance « magique » de l'amour partagé avec sa mère et son père avant d'accéder à des espaces et des temps où, vers l'âge de 7-8 ans, il deviendra et acceptera d'être autonome dans un monde extérieur à sa famille. Cette aire transitionnelle est parfois un théâtre où l'enfant met en scène un certain nombre de personnages. Sur cette scène, les enfants se distribuent les rôles : « Je serais l'élève, tu serais la maîtresse ; je serais le soldat, tu serais le prisonnier ; je serais le cheval, tu serais le cavalier, etc. » Avec l'ami imaginaire, l'enfant se met aussi en scène et se donne en spectacle devant ses parents.

Hélène, par exemple, a 5 ans et demi au moment de la naissance de sa sœur. Elle s'est inventé un ami qu'elle a baptisé du nom de Tommy. Les parents d'Hélène, grands voyageurs, se rendent souvent à l'étranger accompagnés de leurs deux filles. Tommy accompagnait bien sûr Hélène dans ses voyages. Elle lui préparait sa valise, puis dans les voitures, dans les trains, dans les avions, dans les chambres où elle dormait lui réservait une place spéciale que chaque personne de la famille avait ordre de respecter. Tommy était un garçon de 4 ans. Il n'était pas très obéissant, n'aimait pas manger de légumes, ni aller au lit. Elle lui racontait beaucoup d'histoires à mi-voix. Des histoires qui souvent la faisaient rire aux éclats. Lorsque Hélène eut atteint ses 8 ans, elle décréta que Tommy était parti en Espagne rendre visite à ses grands-parents paternels à elle, puis qu'il avait décidé de quitter la famille pour habiter définitivement là-bas. On n'entendit plus du tout parler de l'ami Tommy.

Franck, que j'ai soigné comme pédiatre, s'est quant à lui inventé un ami Pélican. À 6 ans, les parents de Franck ont divorcé. Le père était très violent avec la mère. Avant de partir aux États-Unis, il avait menacé d'emmener avec lui son fils. Peu de temps plus tard, Franck décrivait son nouveau copain : le Pélican aux larges ailes. Le Pélican emmenait Franck sur son dos pour traverser les océans. Le Pélican aimait aussi ne pas bouger de la maison. Il dormait dans le même lit que son ami Franck. Lorsque Franck était invité chez ses copains, chez sa grand-mère ou chez les amis de sa mère, il emmenait avec lui son ami imaginaire, le Pélican. Il le nourrissait. Quand il s'absentait, il lui recommandait de rester sage et de ne pas pleurer. Il n'appréciait d'ailleurs pas du tout que sa mère ou les autres adultes l'interrogent sur son ami.

Pour Franck comme pour Hélène, des amis « bien intentionnés » avaient alarmé les parents et émis des doutes sur l'état mental de leurs enfants. J'ai eu plusieurs patients comme Hélène et Franck et aussi des demandes de consultations pour quelques enfants qui, entre 4 et 6 ans, s'inventaient des amis imaginaires. Ce qui inquiétait leurs parents, les voisins ou les personnes proches de la famille, c'étaient les commentaires défavorables sur les « inventions » des enfants. Ils évoquaient l'autisme, le délire, ou le mensonge et préconisaient une consultation auprès d'un psychiatre. Certains parents redoutaient que l'enfant enfermé dans son monde imaginaire ne se fasse jamais d'amis. Ayant des contacts continus et fréquents avec ces enfants et leurs parents – pour Franck, seule sa mère venait avec lui à ma consultation –, je considérais leurs comportements comme le signe d'une grande créativité et d'une maturité précoce leur permettant de résoudre de façon autonome des problématiques affectives.

En effet, ni Tommy ni le Pélican, ces « pseudo-amis », ne sont des inventions assimilables à des mensonges. Ce sont des fables inventées par les enfants, des créations oniriques, des mises en scène avec des personnages qui peuvent représenter un double de l'enfant, un ami, ou encore un frère ou une sœur... Sur cette image, l'enfant projette, comme nous le faisons lorsque nous rêvons, ses désirs inconscients qu'il craint de dire pour ne pas souffrir ou faire souffrir l'un ou l'autre parent. Ce compagnon imaginaire créé de toutes pièces qui fait alliance avec l'enfant peut aussi servir à accomplir en rêve les bêtises interdites par les parents. Il permet de faire l'économie de la désobéissance et des punitions. Pour Hélène, Tommy représentait peut-être un frère auquel elle-même aurait donné naissance. Tommy n'était pas imposé par les parents comme l'avait été, dans sa propre réalité, la petite sœur. Il ne prenait que la place que voulait bien lui accorder Hélène : être présent ou absent selon ses propres désirs. Elle pouvait ainsi déplacer sur lui ses sentiments contradictoires faits d'amour et de complicité mais aussi de rivalité. Pour Franck, il paraît évident que le Pélican lui permettait d'accomplir son désir de rencontrer en imagination son père aimé et admiré, parti bien loin de la famille. Je conseillai aux parents d'Hélène et à la mère de Franck de rassurer leurs conseilleurs. Lorsque les relations entre ses parents furent plus paisibles, le Pélican reçut de plus en plus souvent l'ordre de ne pas sortir et de rester dans sa chambre. Progressivement, l'ami Pélican et Tommy ont disparu. À l'âge adulte, Franck comme Hélène ont développé une vie personnelle et professionnelle tout à fait satisfaisante.

La curiosité sexuelle

Les enfants élaborent des mythes (théories sexuelles infantiles) pour se représenter la relation sexuelle et la conception d'un bébé. À partir de la troisième année – mais l'âge dépend beaucoup du contexte familial, culturel et social –, ils se montrent très curieux des zones génitales. Ils sont très intéressés par la question de savoir d'où ils viennent : serait-ce du ventre par incision ou du nombril ? ou encore a-t-on des enfants en mangeant quelque chose – ce qui laisse supposer qu'on serait mis au monde de la même manière que sont évacuées les selles ? Les enfants remarquent la différence entre fille et garçon et s'interrogent. S'ils développent un vif intérêt pour leurs propres parties génitales, ils sont également très intéressés par les zones sexuelles de leurs compagnons de jeux. Il est très important de savoir que ce sont les enfants eux-mêmes qui découvrent leur sexe et que ce n'est pas aux parents d'intervenir ni d'exhiber le corps ou le sexe de celui-ci. Nous en reparlerons dans un chapitre ultérieur. La curiosité sexuelle se manifeste le plus souvent au moment des besoins excrémentiels, c'est-à-dire aux toilettes. La phase dite « scatologique », où le vocabulaire *pipi/caca* fait naître de grosses complicités et de gros rires entre les enfants, est directement liée à cet intérêt pour la zone sexuelle et anale. Cette phase est commune à presque tous les enfants. Elle ne doit pas être considérée comme pathologique. Il est vrai que cette curiosité peut effrayer certains enfants très pudiques et expliquer certaines phobies pour se rendre aux toilettes. Tous les enfants n'ont pas cette réserve, mais lorsque ces craintes sont reconnues, elles doivent être respectées. C'est la raison pour laquelle les toilettes pour les petits enfants doivent être installées à l'écart des regards. Françoise Dolto avait insisté à juste titre sur le respect de cette intimité des enfants. On n'expose pas à « tous les regards » le sexe des petits enfants. Et après ladite « libération sexuelle » des années post-1968, ce sont des personnes comme Dolto qui nous l'ont réappris.

LA SEXUALITÉ INFANTILE

La théorie psychanalytique nous fournit un fil conducteur et un cadre structurants pour aborder la sexualité infantile. C'est Freud qui, le premier, a énoncé que l'enfant était animé par une vie sexuelle que l'on peut résumer comme une recherche du plaisir depuis qu'il arrive au monde. Pour décrire cette sexualité, Freud a repris le terme de *libido* qui vient d'un mot latin qui signifie « désir », « envie ». Cette pulsion dynamique passe par différentes étapes au cours de la vie d'un enfant. La sensation de plaisir apportée par la stimulation de différentes zones corporelles est à l'origine de cette sexualité de l'enfant dont l'hédonisme s'éveille extrêmement tôt, dès que le bébé arrive au monde et sans doute même avant. Au sens freudien, la sexualité aboutit à la génitalité qui concerne les manifestations les plus tardives et les plus achevées de la sexualité.

On distingue pour cette libido la phase orale, la phase anale, la phase phallique appelées « les phases ou stades prégénitaux ». Leur succède une période dite « de latence » – celle qui nous intéresse dans le livre et qui se situe entre 6 et 13 ans, c'est-à-dire jusqu'à l'âge de la puberté. Viennent ensuite la puberté, puis le stade génital proprement dit où les relations sexuelles peuvent être désirées et accomplies avec une personne du même âge ou entre personnes adultes.

La phase dite « orale » concerne la zone érogène buccale et le plaisir du suçotement, de la succion, de la déglutition voluptueuse qui accompagne la prise de nourriture lactée fournie par le sein ou le biberon. Le bébé n'a pas encore la notion d'un monde extérieur à lui. Il aime ce qu'il a en bouche (le sein ou la tétine) et par extension la mère ou la personne liée à ce plaisir qu'il ne distingue pas de lui-même. Cette première relation d'amour modèlera la relation du bébé avec le monde extérieur. Dès que quelque chose intéressera l'enfant, il le mettra en bouche. Capter l'objet, ne pas se distinguer de lui entraîne le plaisir « d'avoir » qui se confond pour le bébé avec le plaisir « d'être ».

À *la phase dite « anale »*, le plaisir se situe sur la zone érogène anale. Elle concerne le plaisir des tout-petits pendant la rétention des selles, puis leur émission lors du relâchement spontané de leur sphincter anal. L'enfant parvenu à un plus grand développement neuromusculaire peut provoquer son plaisir par la rétention ludique des selles et des urines. La toilette donnée par la mère est également source de plaisir. Au moment de l'apprentissage de la discipline sphinctérienne, l'enfant a un pouvoir sur la mère par ses selles qu'il lui donne ou non. Plus tard, dans son fantasme, le bébé se représente sa mise au monde par l'intestin de la même façon que sont évacuées les selles.

À *la phase dite « phallique »*, on assiste à l'éveil de la zone érogène phallique : pénis chez le garçon, clitoris chez la fille. La cause occasionnelle de cet éveil peut être l'excitation naturelle de la miction, ajoutée aux attouchements répétés des soins de propreté. C'est le lieu de la masturbation primaire qui apparaît vers la troisième année.

Cette étape fait partie du développement normal de la sexualité de tout enfant. La masturbation n'est pas à réprimer, mais il est important d'expliquer à un enfant qu'il doit la réserver pour sa seule intimité car ces manifestations sont interdites en société.

Le complexe d'Œdipe associé dans la théorie psychanalytique à ces trois phases est une notion aussi centrale en psychanalyse que l'universalité de l'interdit de l'inceste. À partir de son analyse et de sa lecture symbolique de la légende grecque, Freud a revisité et « réinventé » ce mythe. Le complexe d'Œdipe apparaît entre 3 et 5 ans. Il caractérise une représentation inconsciente par laquelle s'exprime le désir sexuel et amoureux de l'enfant pour le sexe opposé et son hostilité plus ou moins effective pour le parent du même sexe. Cette représentation peut s'inverser et exprimer l'amour pour le parent du même sexe. Il évolue progressivement, et le tabou de l'inceste s'intègre petit à petit à la vie inconsciente. Son déclin marque l'entrée dans la période dite « de latence », et sa résolution après la puberté se concrétise par un nouveau choix de personne. Les psychanalystes considèrent que le complexe d'Œdipe est structurel et structurant car il permet l'inscription de l'enfant dans la différence des sexes et dans l'ordre des générations. Tout enfant qui arrive au monde est en effet issu d'un homme et d'une femme. Chaque parent, lui-même issu d'un homme et d'une femme, constitue un des maillons dans la chaîne des générations. Ce qui nous fonde de façon universelle en tant qu'humains (quelle que soit notre origine sociale et culturelle, quelles que soient nos modalités de vie, dans ou hors un couple hétérosexuel ou homosexuel, dans une famille traditionnelle ou recomposée...), c'est que chacun de nous est issu d'une lignée d'ancêtres qui sont à l'origine de chacune de nos histoires individuelles et collectives qui peuvent se dire et s'écrire.

Ces concepts psychanalytiques qui concernent la vie sexuelle de l'enfant sont importants à connaître car ils donnent des repères dans l'évolution d'un enfant jusqu'à l'âge adulte.

Ce qui est tout aussi essentiel dans les messages que nous ont transmis Freud et ses successeurs c'est le fait de reconnaître qu'un petit enfant est un être apte au plaisir. La découverte du plaisir par le corps et par la parole fonde les premiers liens d'amour avec les parents, avant que ces liens s'ouvrent aux autres, pour fonder d'autres liens d'amour et d'amitié. La libido, cette force vitale qui nous habite dès la naissance, lorsqu'elle peut s'ouvrir à autrui, nous permet de construire nos liens sociaux.

Il faut aussi savoir que ces repères psychanalytiques, qui nous aident essentiellement à ne pas plaquer nos jugements moraux sur les relations entre les enfants, ne sont jamais à prendre au pied de la lettre ni comme des instruments de mesure scientifiques pour évaluer un enfant donné. Il est conseillé de les utiliser avec souplesse.

Comme je l'ai indiqué plus haut, à tous les âges de la vie qui précèdent la puberté un enfant, même très jeune, peut avoir une vie affective très intense et ses sentiments ne sont pas obligatoirement à relier aux stades théoriques décrits par la psychanalyse. L'amitié, l'amour sublimé propre à la phase de latence peuvent exister entre les petits enfants. Ce que nous apprend la sexualité infantile décrite par la psychanalyse, c'est qu'elle est à distinguer formellement de la sexualité génitale des adultes. Quand les enfants jouent « au papa et à la maman » ou aux jeux du « docteur », ces jeux ne sont pas à considérer par les adultes comme des perversions sexuelles. Les adultes ne doivent pas plaquer leur propre sexualité génitale sur des attitudes qui ne témoignent que de la curiosité normale des petits vis-à-vis du sexe. Les parents qui interviennent trop brutalement pour interdire ces comportements peuvent déclencher des peurs inutiles chez leur enfant. En effet, celui-ci ne comprend pas du tout ce que redoute l'adulte. Sa curiosité peut même être exacerbée et se traduire par des comportements répétitifs par lesquels l'enfant manifeste sa tentative de comprendre ce qui fait tellement peur à l'adulte.

II

COMMENT L'AMOUR
VIENT AUX ENFANTS

« Tes joues sont agréables avec des rangées de joyaux ; ton cou avec des colliers. Nous te ferons des chaînes d'or avec des paillettes d'argent. Mon bien-aimé est pour moi un bouquet de myrrhe. Voici, tu es belle, mon amie ; voici, tu es belle ! Tes yeux sont des colombes. Voici, tu es beau, mon bien-aimé ; oui, tu es agréable ! »

Le Cantique des cantiques

Nous quittons maintenant la petite enfance et ses premiers attachements, pour aborder tout au long des chapitres suivants la vie relationnelle et affective des enfants qui ont entre 6 et 12 ans. L'enfant poursuit sa croissance, mais il apprend très progressivement à se passer de ses père et mère dans les gestes du quotidien. Son développement corporel et psychomoteur lui permet d'acquérir plus de liberté et de maîtrise dans ses mouvements. Il progresse dans son habileté motrice et dans sa gestuelle. Il met en œuvre ses nouvelles aptitudes dans ses activités de jeux, seul avec lui-même ou en partage avec ses amis. En liens étroits avec son langage qui s'enrichit, ses mouvements intérieurs et ses émotions à l'égard de ses semblables se modifient. Pendant les quelques années qui le séparent de la puberté, ce passage est aussi celui des apprentissages scolaires où l'enfant entre dans les chiffres et les nombres, dans la langue orale et écrite avec les enseignants. Il entre dans les autres apprentissages culturels avec son entourage social. Nous allons décrire et fournir quelques éléments d'analyse et quelques témoignages pour aborder cette période complexe où, en même temps qu'il ne cesse d'éprouver des sentiments d'amitié et d'amour, l'enfant multiplie les activités imaginatives. Par les rencontres langagières et corporelles avec autrui, adultes et enfants, il acquiert l'art d'attendre, celui de maîtriser ses pulsions, comme celui de partager ses émotions.

LA PÉRIODE DITE « DE LATENCE »

La phase de latence décrite par les psychanalystes commence généralement à l'âge de 6-7 ans ; elle précède la puberté et succède aux phases orale, anale, phallique et à la phase dite « œdipienne », c'est-à-dire celle où l'amour s'adresse essentiellement aux parents. Pendant cette période, les manifestations d'affection à l'égard des parents perdent de leur intensité et l'intérêt pour tout ce qui touche à la sexualité n'occupe plus le devant de la scène. La pulsion sexuelle s'investit dans d'autres domaines, sans perdre sa force et sa puissance. On désigne ce processus sous le terme de *sublimation*. Ce déplacement favorise le développement cognitif, l'accès à la culture et aux apprentissages. Entre son énergie pulsionnelle et les exigences de la réalité, l'enfant va refouler, réprimer certains désirs et il voit naître en lui des sentiments nouveaux comme la culpabilité. Freud (cité par Laplanche et Pontalis dans le *Vocabulaire de la psychanalyse*) articule ce passage à la chute des dents de lait : « Le complexe d'Œdipe doit disparaître... se dissoudre... comme tombent les dents de lait lorsque poussent les dents définitives. » Cette période est la plus longue de l'enfance. Certes, le complexe d'Œdipe ne cesse pas brutalement à l'âge de 5-6 ans. Il peut se manifester encore par des conflits avec les parents, par un attachement plus prononcé pour le parent du sexe opposé, en même temps que par un attachement au milieu familial : parents, frères et sœurs, perçus comme des personnes qui apportent la sécurité et l'épanouissement qui favorisent la construction de la personnalité. Dans ce contexte, les activités sexuelles primaires (les plaisirs offerts par la succion, par les productions vocales, les plaisirs que donnent les zones urinaires anales et sexuelles, le plaisir du contact corporel prolongé avec les parents) décroissent et sont peu à peu refoulées... La masturbation, qui a commencé à la période œdipienne, peut se poursuivre cependant ; elle est considérée à la fois comme une recherche de l'identité sexuelle et comme une source de plaisir. Pas plus qu'auparavant elle ne représente une conduite sexuelle anormale ; c'est pourquoi il convient à tout prix de respecter l'intimité de chaque enfant. À cet âge, l'attrait pour le sexe opposé et le sentiment amoureux ne comportent pas encore de composante sexuelle érotique. La sexualité refoulée se manifeste par la tendresse. La « libido » n'est pas interrompue pour autant. Elle fournit cette réserve d'énergie qui se détourne vers d'autres buts que sexuels. Cette énergie soutient les efforts déployés dans les apprentissages qui permettent d'acquérir les savoirs scolaires et culturels.

La mise en place du Surmoi

Le Surmoi est une des trois instances du psychisme, avec le Ça et le Moi, dans la théorie freudienne ; il est en quelque sorte le juge du Moi. Il correspond à l'intériorisation des interdits proférés par les parents et la société. C'est pendant la phase de latence que se met en place le Surmoi et que l'enfant intègre peu à peu ces interdits. On observe que certains rituels que les enfants s'imposent sont une façon pour eux d'intérioriser l'interdit sexuel. Pour prendre un exemple banal et vécu par chacun de nous, c'est ce qui se passe lorsque, enfant, on s'oblige à sauter tel ou tel pavé lorsqu'on marche ou à suivre une ligne sans la dépasser. La contrainte pour barrer la route au plaisir est plus ou moins marquée selon les enfants. Les tics, très fréquents à cet âge, sont d'autres procédés corporels et langagiers pour se détourner du sexuel : clignements des paupières, moues de la bouche, répétition de gestes, emploi compulsif d'un mot ou d'une expression, etc.

Dans le processus de « sublimation » tel que nous l'avons décrit plus haut, les pulsions sexuelles sont dérivées vers des activités intellectuelles, sociales, vers des objets socialement valorisés, parfois artistiques, mais souvent aussi vers les activités sportives et ludiques.

La curiosité dans le domaine sexuel n'a pas disparu pour autant : elle se tourne vers une forme de plaisir sans l'intervention d'une autre personne (sexualité autoérotique) qui permet de repousser à plus tard l'acte sexuel ou est dirigée vers les autres sans but sexuel avéré.

Cette période est aussi l'âge où l'enfant devient créatif et imaginatif : il s'invente une filiation imaginaire, désignée en psychanalyse par le terme de *roman familial*, processus psychique selon lequel il s'imagine adopté par ses parents réels, alors qu'il serait issu d'une lignée de parents d'origine royale ou princière ; dans ses lectures, il s'identifie aux héros de légendes, il dévore les contes mythologiques qui le font rêver.

L'ÂGE DE LA « GRANDE ÉCOLE »

L'enfant quitte l'univers du « maternel » pour un cadre plus discipliné, plus contraignant : la « grande école ». La séparation progressive d'avec ses parents est corporelle autant que psychique. L'enfant a de moins en moins besoin de leur aide pour les actes quotidiens de sa vie ; il peut se rendre seul dans le voisinage à des distances qui augmentent peu à peu. Les apprentissages de la lecture, de l'écriture, du calcul accroissent son sentiment de devenir grand et peu à peu d'être apte à assumer son autonomie. Il devient plus sage, plus réservé, plus poli et aussi plus ouvert sur les autres. Il se pose beaucoup de questions philosophiques sur les choses de la vie : la biologie, l'univers, la science, la naissance, les maladies, la mort... Et de façon plus ou moins indirecte car il n'est pas obligatoirement prêt à entendre les réponses ; il interroge la sexualité adulte, l'amour, les relations sexuelles, la conception, la vie intra-utérine, l'accouchement... Bien qu'il ne cesse d'être relié à son passé parental, l'enfant s'oriente de plus en plus vers l'avenir. Il commence à prendre du recul, devient de plus en plus apte à juger et à raisonner. En même temps qu'apparaît le désir de grandir et de devenir autonome, il acquiert progressivement la faculté de juger si une croyance est vraie ou fausse et met en doute ses premières certitudes, comme l'existence du Père Noël. Il quitte peu à peu le monde magique de la toute première enfance.

Avec les progrès de sa socialisation, avec la scolarité, en même temps qu'il intègre les règles de la société il veut s'affirmer, il désire être valorisé. Il aime qu'on lui fasse confiance.

Les émotions sont (en principe) mieux contrôlées ; l'enfant apprend à maîtriser sa spontanéité au profit de son développement cognitif et intellectuel. Les sentiments d'amitié comme les sentiments amoureux se transforment. En quittant ses premières passions pour ses parents, l'enfant petit à petit, mais non sans inquiétude, commence à découvrir qu'il a des émotions qui lui sont propres. Il découvre ce que la psychanalyse désigne sous le vocable de *narcissisme* : il éprouve du plaisir à ressentir le fonctionnement de son corps comme de ses sentiments ; il commence à investir sa propre personne en se donnant le droit de s'aimer lui-même.

Certains enfants traversent cette période dans une grande quiétude. Ils découvrent qu'ils ont des sentiments qui ne s'adressent plus exclusivement à leurs parents, mais ils savent attendre et ils le disent : « Je suis trop petit, je verrai plus tard lorsque je serai grand. » D'autres, sans pour autant s'éloigner de l'affection de leurs parents, éprouvent, avec une grande intensité émotive, l'amitié ou l'amour pour leurs amis filles ou garçons. Ces sentiments intenses et romantiques exigent, lorsqu'ils osent se dire, plus d'exclusivité qu'aux âges précédents. Ils demandent une grande fidélité. Cette attente est si forte que certains préfèrent s'abstenir plutôt que de souffrir ou faire souffrir. C'est le cas de François : « Si une fille se déclare amoureuse, il faut pas lui faire de la peine. »

POLÉMIQUE AUTOUR DE LA PHASE DE LATENCE

Le refoulement de l'intérêt sexuel, autrement nommé « phase de latence » comme on l'a vu à travers la théorie analytique, s'observe la plupart du temps dans le comportement des enfants. Mais ce temps de latence est aujourd'hui remis en question par de nombreux cliniciens. L'éducation reçue par les enfants n'est bien évidemment plus l'éducation rigide et répressive qu'a connue Freud et qui s'est exercée jusqu'au milieu du xxe siècle et s'exerce encore aujourd'hui dans certains milieux traditionnels.

L'influence des médias y est aussi pour quelque chose ; le sexe s'exhibe partout. Les filles et les garçons se connaissent mieux car l'école est aujourd'hui mixte. Les enfants osent poser des questions et parler sur l'amour beaucoup plus tôt qu'autrefois. Ils ont une meilleure connaissance du vocabulaire de la relation amoureuse. Les petits couples qui se forment parfois dans la cour de récréation, à la fin du cycle primaire, sont regardés d'un œil plutôt bienveillant par les surveillants et les enseignants et ils ne sont plus sermonnés comme ils l'étaient encore il y a trois ou quatre décennies. Cette période de refoulement tendrait donc à disparaître.

Des études américaines ont montré que, lorsqu'ils sont réunis en collectivité, comme les centres aérés, les camps, les colonies de vacances, les préoccupations sexuelles des enfants demeurent évidentes à tous âges confondus. Cela peut aussi se traduire par une curiosité exacerbée pour certaines parties de l'anatomie : les garçons soulèvent les jupes des filles ou profitent de la montée d'un escalier pour avoir une vue plongeante ; les filles se font des confidences entre elles sur ce qu'elles connaissent ou pas dans ce domaine... Vers 7-8 ans, ils se livrent à des jeux d'exploration mutuelle. Ces jeux, le plus souvent instructifs et anodins, permettent de découvrir les multiples endroits du corps et de la peau qui sont érogènes. Ces zones peuvent se situer en des lieux insoupçonnés comme le conduit auditif (*cf.* encadré ci-après « Le coton-tige »). Les parents sont fréquemment alarmés quand ils découvrent ces jeux, soupçonnant leur enfant et le petit copain ou la petite copine des pires perversions – il n'en est rien, bien entendu. Le mieux est de rester discret et de se garder de tout commentaire, si d'aventure l'adulte est le témoin d'une telle scène.

Le coton-tige

Pour certaines personnes et dans certaines familles, le conduit auditif est une zone érogène. C'est le cas de la famille Delacoste dont je soigne les enfants. Le coton-tige est l'instrument favori de chacune des personnes de cette famille, adultes et enfants. Malgré mes mises en garde et mes discours sur l'inutilité et les risques de ce nettoyage, cet objet est répétitivement et quotidiennement utilisé pour les soins des conduits auditifs du père, de la mère et de chacun de leurs quatre enfants. Ceci me vaut la visite régulière de l'un ou l'autre des enfants pour les dérapages, les ennuis traumatiques ou inflammatoires liés au maniement intempestif du coton-tige. Le père est l'utilisateur le plus acharné de cet instrument. J'ai donc fait l'hypothèse que ce petit objet a de multiples fonctions : ce bâtonnet dont le bout se termine par un coton très doux autorise, sans en éprouver la moindre honte, de stimuler une zone érogène commune à toute la communauté familiale. C'est un objet qui permet aux deux fils de s'identifier à leur père avec lequel ils ont par ailleurs beaucoup de mal à échanger des paroles. Cet outil soi-disant hygiénique est peut-être aussi le témoin symbolique de la relation œdipienne entre le père et ses filles. J'ai donc cessé de faire la morale, d'énoncer les interdits et je soigne sans rechigner chaque été (la chaleur augmentant les risques d'infection) les furoncles qui occupent les conduits auditifs de l'un ou l'autre enfant. Avec Liliane, la troisième de la fratrie, le furoncle qui fermait répétitivement son oreille a eu pour avantage de fournir le prétexte de me consulter pour m'ouvrir son cœur sur sa relation à un garçon de sa classe.

De la polygamie des petits à la monogamie des plus grands

Nos schémas d'adultes ne s'appliquent guère à la vie affective des jeunes enfants. À l'âge où une petite fille commence à accepter avec regret le fait qu'elle n'est pas autorisée à épouser son père, l'idée de polygamie n'est pas du tout choquante pour elle. Un petit garçon ou une petite fille peuvent évoquer de se marier à plusieurs : Annette, sans aucune trace de ressentiment, raconte à ses parents que son grand ami Éric lui a déclaré qu'il se mariera avec elle et avec Julie sa meilleure copine. Julie par moments déclare qu'elle se mariera avec Annette. Il faut que l'enfant sorte d'une première sécurité affective trouvée au sein de sa famille, pour pénétrer dans un monde où il perçoit l'importance des conventions sociales. Il intègre pour cela les valeurs de son groupe de pairs et les normes sociales dominantes. Le désir de conformisme social devient de plus en plus marqué. La notion de couple se précise. De la polygamie spontanée qui caractérisait les toutes premières relations amoureuses et amicales, l'enfant passe à la monogamie dont notre société offre l'image. En quittant sa période « polygame », l'enfant reste néanmoins inscrit dans sa famille et dans l'histoire plus ou moins stable du couple de ses parents. Les liens familiaux restent présents comme toile de fond sur laquelle l'enfant tisse et « tricote » plus ou moins facilement son identité présente. Il reste habité par les représentations qui ont modelé son milieu familial et social et interprète de façon souvent complexe et parfois confuse le milieu social qui l'environne. Dans ce passage où l'enfant quitte la toute petite enfance pour devenir « grand », il peut osciller entre le non-conformisme qui caractérisait la période précédente et le désir d'être « comme les autres », c'est-à-dire comme il pense que sont ou devraient être les autres. Dans ce temps de l'enfance où s'acquiert une autonomie psychique qui lentement différencie l'enfant de ses parents, l'enfant passe souvent par l'identification à l'autre, son copain ou sa copine. En partant à la découverte de sa propre identité, son propre style, l'enfant adopte, par exemple, les mêmes goûts, les mêmes habits, les mêmes coiffures que celui ou celle qui est face à lui. Ceci peut être mal perçu par les parents, qui ne voient dans cette attitude qu'une imitation servile de l'autre, comme si leur enfant n'était qu'un « perroquet » avec une identité factice. Pourtant cette phase est rarement inquiétante. En attendant de trouver sa propre identité qui le différencie de ses parents, l'enfant « emprunte » pour un temps celle d'autrui. L'autonomie, en effet, n'est pas toujours aisée et comporte quelques risques. À côté du risque d'être rejeté, isolé, de ne pas trouver d'amis, existe le risque de se perdre au milieu des autres. Pour offrir la sécurité indispensable au jeune enfant, il est important que les parents restent patients et ne cessent d'affirmer tranquillement leur présence, leurs exigences, quelles que soient les turbulences dont ils sont les témoins. Accomplir cette tâche avec tranquillité sans autoritarisme est plus facile à assumer à deux personnes dans un couple ou à plusieurs au sein d'une famille que dans le face-à-face d'un adulte seul (le plus souvent il s'agit de la mère) avec l'enfant.

Séparation des sexes, sublimation de la sexualité

Tous les éducateurs et les enseignants du cycle primaire témoignent que, dans les périodes qui précèdent la puberté, vers l'âge de 10 ans, les garçons et les filles se séparent de plus en plus les uns des autres et se regroupent par sexe. Les goûts, les jeux, les contacts, les modèles relationnels entre garçons et entre filles deviennent plus masculins ou plus féminins. Dans les cours de récréation, les garçons font la course, se poursuivent, jouent à des jeux de combats, à des jeux sportifs. Les filles se retrouvent pour des conversations. Elles deviennent coquettes et passent souvent de longs moments à discuter de leurs habits, de leur apparence. De plus en plus, les enfants se retrouvent donc entre garçons et entre filles. Ces activités séparées protègent également du sexe opposé qui reste encore difficilement abordable. Ces comportements présentent, bien entendu, des exceptions qui n'ont parfois qu'un temps. Sylviane, à l'âge de 10 ans, a commencé à jouer au foot dans une équipe de filles avec tant d'application qu'elle est une de celles qui a stimulé son équipe à battre toutes les équipes de garçons. Elle ne se souciait ni de son apparence, ni de ses vêtements. Elle se donnait même des allures de garçon. Puis, brusquement, à 16 ans, elle s'est transformée, s'est mise à choisir soigneusement ses vêtements (la marque, la coupe...), a abandonné ses lunettes pour des lentilles malgré la contrainte que cela impose. Elle se maquille le visage, les yeux... On peut interpréter son comportement d'avant comme une façon de se protéger de la sexualité ; elle sublimait son attirance pour le sexe masculin dans sa passion pour le jeu de compétition.

Il est fréquent que garçons et filles partagent les mêmes jeux. Certaines filles, comme Sylviane, apprécient les jeux de garçons, aiment jouer au foot, grimper aux arbres, participer aux jeux qui nécessitent force musculaire et stratégie de terrain. Certains garçons dits plus calmes, plus posés, plus sensibles, soi-disant moins virils, utilisent leur énergie différemment, de manière plus cérébrale. Ceux-ci partagent sans difficulté les jeux des filles ; ils aiment discuter avec elles dans un coin de la cour de récréation, pendant que les autres garçons font la course. Ceci ne témoigne pas d'une homosexualité qui débuterait dès cet âge. Elle n'augure en rien de la sexualité future de l'enfant telle que peuvent l'imaginer et souvent la craindre les adultes. En ces phases transitoires où l'enfant est peut-être à la recherche de son identité, le fait pour un garçon de préférer les filles et avoir des caractéristiques et des jeux dits « féminins » ou pour une fille de jouer avec des garçons et montrer des caractéristiques dites « masculines » n'a aucune incidence sur la future identité sexuée adulte. Mais lorsqu'un enfant perçoit l'inquiétude de ses parents, il peut par curiosité (« Mais qu'est-ce donc ce que tu crains pour moi ? ») adopter un comportement qui ne correspond pas à ce que ses parents attendent d'un garçon ou d'une fille dits « normaux ». Un garçon peut accentuer ses traits féminins : être coquet, laisser pousser ses cheveux, mettre des serre-tête. Une fille peut adopter des façons de s'habiller masculines : ne mettre que des pantalons et des tee-shirts de garçons, adopter une coupe de cheveux très courte. Nous en reparlerons au chapitre v.

Yvon amoureux

Yvon raconte : « Lorsque j'avais 11 ans, je suis tombé amoureux des deux fils jumeaux du médecin de ma petite ville. Ils avaient 9 ans ; nous étions dans le même club de théâtre. Ils avaient tous deux un timbre de voix très reconnaissable qui les faisait se démarquer du groupe que nous formions. Ils étaient blonds, sveltes, élégants, bien habillés. En sortant du cours, je les accompagnais jusqu'à leur belle maison et les regardais passer le superbe portail du jardin. J'étais le deuxième d'une famille de cinq enfants ; ma mère était au foyer et mon père souvent au chômage. Je portais les habits plutôt défraîchis de mon frère aîné. Souvent avant de me rendre en classe, je me cachais derrière un arbre avant le début des cours pour les admirer lorsqu'ils sortaient de chez eux. En les suivant de loin, je parcourais le chemin pour me rendre à l'école dans un état de ravissement. Cet amour secret a duré une année. À 15 ans, je suis tombé amoureux de la plus jolie fille de ma classe. Elle s'appelait Angela. C'était une ravissante brunette aux yeux bleus, rieuse, vive, joueuse. Sa mère d'origine sicilienne était mariée à un ouvrier polonais et j'étais reçu avec grande hospitalité dans leur maison. Notre amour fut partagé. Cette première émotion que j'ai vécue pour les deux garçons a été une telle source de joie qu'il m'a ouvert — je pense — au sentiment amoureux que j'ai pu partager trois années plus tard avec la merveilleuse Angela. »

Si la vie n'est pas perturbée par des traumatismes ou par d'importantes difficultés maternelles, paternelles ou familiales (ruptures violentes entre les parents, survenue de morts ou de maladies graves dans la famille...), l'enfant abordera le stade pubertaire qui le mènera progressivement à un stade génital dit « oblatif », c'est-à-dire à une attirance sexuelle puis à une relation d'amour et de plaisir offerts dans la réciprocité pour un être extérieur à la famille.

DES RÉGRESSIONS SONT POSSIBLES

Les différentes phases décrites de façon théorique peuvent naturellement subir des avancées et des reculs ; l'évolution d'un être humain n'est jamais linéaire. À tous les âges de la vie, des régressions vers les stades antérieurs oral, anal, phallique... peuvent se produire. Lorsque l'enfant traverse des moments difficiles, a des soucis, est le témoin notamment de conflits petits ou grands entre ses parents, lorsqu'il partage avec eux des tourments plus ou moins préoccupants, lorsqu'il vit des frustrations affectives tout à fait banales (la naissance d'un puîné), il aura tendance à régresser et à vouloir retrouver ces moments où le plaisir était concentré sur ses seuls parents. Il en est de même lorsque l'éducation est trop répressive, trop despotique ou, au contraire, trop permissive sans qu'aucune règle soit indiquée, ni imposée. L'enfant rêve inconsciemment de ne pas grandir ou de revenir au stade du bébé qu'il était.

La régression orale peut se manifester par de la boulimie avec une envie compulsive de manger ou de boire, par une reprise de la succion des doigts, d'une mèche de cheveux, par la mise en bouche de crayons, de stylos, d'objets en plastique, d'un colifichet, d'un foulard ou autre tissu... mordillés de façon intense et répétitive pendant la journée ou la nuit pour s'endormir...

La régression anale peut se manifester par la rétention des selles. Si cette rétention se prolonge, on l'appelle « encoprésie » et elle peut nécessiter un traitement médical. La reprise du vocabulaire scatologique *pipi/caca* qui ne fait plus partie de cet âge de la vie ou des injures grossières et ordurières dans lesquelles dominent les termes qui se rapportent aux excréments témoignent de la régression anale.

La régression phallique se manifeste par une masturbation répétée. L'enfant, fille ou garçon, dès qu'il/elle n'est plus occupé(e) par une activité – par exemple, lorsqu'il/elle se trouve devant la télévision –, frotte compulsivement son sexe, sans se soucier de la présence d'autres personnes. D'autres enfants utilisent un vocabulaire obscène.

Quelques enfants quittent difficilement la phase œdipienne et gardent un attachement excessif pour l'un ou l'autre parent, excluant ainsi toute relation avec d'autres enfants.

Savoir faire la différence entre le normal et le pathologique : lorsque l'enfant souffre de carences affectives sévères

Des régressions labiles, c'est-à-dire transitoires, sont sans gravité ; elles peuvent survenir chez tout enfant. En effet, l'évolution d'un enfant se fait rarement sans avoir à traverser quelques souffrances petites ou parfois plus grandes. Les régressions ne sont le plus souvent pas durables. Si elles se prolongent, il est important de clairement énoncer – pour la masturbation, par exemple – l'interdiction de montrer son sexe en « public » et d'exhiber son intimité. Si le comportement de régressions orale, anale phallique ou œdipienne ne s'interrompt pas ou s'accentue, il faut tenter de comprendre les émotions de l'enfant, essayer d'en parler avec l'aide d'une tierce personne, de préférence un(e) professionnel(le). Nous avons écrit combien de très importantes frustrations affectives peuvent mener l'enfant à se replier sur lui-même : il mord ses doigts ou ses orteils avec une telle intensité qu'il provoque des gerçures et des plaies, il peut souffrir d'une encoprésie (rétention des selles) grave qui provoque d'importants troubles du transit avec des douleurs abdominales importantes et une émission répétée de selles. Il peut manifester un autoérotisme excessif, une masturbation exacerbée qui provoque des blessures, comme cela s'observe dans les véritables états d'abandon affectif chez les enfants placés dans les orphelinats de mauvaise qualité ou chez ceux qui ont subi d'importants traumatismes de guerre ou des situations familiales extrêmement douloureuses. Dans ces cas, des aides et des accompagnements sont indispensables pour soutenir chez l'enfant les capacités de récupération, de « résilience ».

L'aide psychologique peut être de courte durée, mais certaines situations qui coupent toute possibilité de relation avec d'autres ou rendent un enfant extrêmement agressif nécessitent un accompagnement prolongé, un soutien intensif non seulement de l'enfant mais aussi de sa famille, au sein d'une équipe de prévention stable, structurée et structurante.

LES PREMIERS ÉMOIS AMOUREUX ENTRE 8 ET 12 ANS

À ces âges, les enfants ont un intérêt certain pour la sexualité et leur curiosité à cet endroit ne fait que croître et embellir, que celle-ci soit de nature homosexuelle ou hétérosexuelle. Les jeux sexuels, comme « jouer à papa et maman ou au docteur », entre enfants du même sexe ou de sexe différent se poursuivent à cet âge, mais se déroulent le plus souvent en cachette des adultes. Ils permettent l'apprentissage du corps de l'autre, en même temps que celui des émotions qui se partagent. C'est une première « éducation sentimentale » qui concerne le « corps et l'âme ». Les grandes amitiés passionnelles entre enfants du même sexe ou de sexe différent naissent à cette période de la vie. Ici encore, pas plus que les goûts pour les jeux féminins chez les garçons ou les jeux masculins chez les filles, ces amitiés particulières n'autorisent pas à faire des prédictions sur les préférences sexuelles de l'âge adulte. « Plus tard, je me marierai avec Anne », me déclare à l'oreille Coralie, une petite fille de 8 ans et demi. Elle ajoute : « On rigole toujours nous deux, on est drôlement bien ensemble ; je ne la quitterai pas de ma vie jusqu'à ce que je devienne vieille. » La sensualité est à l'œuvre dans ces amours hétéro ou homosexuels, que l'on confie plus souvent aux grands-parents qu'aux parents, par peur du jugement parental. « La poussière que Carole avait sur la joue, j'ai soufflé dessus pour la faire voler. J'ai posé mes lèvres sur sa joue pour effacer la trace », raconte Thomas, 9 ans, à sa grand-mère.

Katia, 8 ans : « L'amour, ça, c'est beaucoup plus fort que l'amitié. On partage plein d'autres choses ; ça rend heureux, joyeux, ça fait du bien d'être amoureux, ça remonte le moral. » Sophie, 9 ans : « Quand j'étais amoureuse de Kevin, j'étais envahie d'un sentiment de bonheur extraordinaire. Moi qui détestais l'école et qui n'aimais pas travailler, grâce à lui j'ai commencé à aller en classe avec enthousiasme car je savais que j'allais le retrouver ; je l'attendais chaque matin. Je me débrouillais pour m'asseoir à côté de lui à chaque fois que l'institutrice changeait nos places. Je le touchais avec mes genoux. À l'appel pour entrer en classe, je lui donnais la main. J'aimais bien quand il jouait à soulever ma jupe. »

Théo décrit son premier amour, alors qu'il avait 10 ans, pour sa cheftaine plus âgée que lui de trois années : « C'était au camp scout que je fréquentais chaque samedi. J'adorais me bagarrer avec elle, j'adorais sentir ses cheveux contre mon visage. Une fois, au cours d'une lutte pour faire semblant, sur l'herbe, j'ai senti ses seins sur mon torse au travers de mon pull-over. J'ai été très ému. C'est à partir de ce moment-là que je suis devenu fou amoureux d'elle. Elle ne se doutait de rien. Je ne lui ai rien dit. Peut-être qu'elle non plus n'osait pas le dire. »

DES ÉMOTIONS TRÈS INTENSES

Entre 8 et 12 ans, à l'approche de la puberté, les émotions amoureuses deviennent plus intenses et plus fréquentes aussi, la pudeur augmente, et les sentiments éprouvés doivent rester secrets. Plus ils sont intenses et plus le regard et les remarques des copains, copines et ceux des adultes sont redoutés. Ces sentiments nouveaux et uniques dont un enfant fait la découverte ne doivent être ni dévoilés, ni banalisés par les adultes. On peut certes se demander ce que des enfants prépubères entendent quand ils disent qu'ils ont une petite copine ou qu'ils « sortent » avec un tel ou une telle. Est-ce une façon de copier le modèle adulte, les séries télévisées, un pur paraître social ou cela cache-t-il d'authentiques émois amoureux ? Il est souvent bien difficile de l'affirmer, tant les frontières générationnelles tendent à disparaître aujourd'hui en ce qui concerne les comportements amou-reux notamment. Il ne faut pas oublier que les enfants ne possèdent pas d'autre vocabulaire que celui des adultes pour mettre des mots sur leurs sentiments. Nous pouvons aussi émettre l'hypothèse que les gestes empruntés à leurs aînés, le langage cru utilisé entre copains pour choquer (il n'est pas rare d'entendre des enfants de 10 ans dire qu'ils ont « fait l'amour ») sont une protection, un masque de pudeur qui permettent de ne pas livrer en public leurs véritables sentiments et une façon aussi d'interroger l'adulte sans en avoir l'air.

Il peut être attendrissant pour les parents de voir leurs enfants former de mignons petits couples ; cela peut relever aussi d'un parfait conformisme qui n'est pas à encourager dans la mesure où il empêche l'expression de véritables émotions et masque la vérité des sentiments (la jalousie notamment). « J'en peux plus, dit le petit Nicolas. Avant j'étais amoureux avec Talia et maintenant elle est avec Louis ; je lui offre les plus belles fleurs, la rose la plus belle, et elle me dit : "Non, je suis déjà mariée." »

Au moment où ils vivent une grande émotion, les enfants se confient rarement à leurs parents, sinon un peu malgré eux ; un prénom revient souvent dans les conversations, les sentiments ont du mal à se dissimuler : rougeur au visage à l'évocation de telle ou telle personne, silences prolongés, repli sur soi... On se doit de respecter ce territoire intime.

Ce n'est que plus tard, dans la vie adulte, que les personnes osent dire l'intensité de leurs émois à cette période de leur vie.

L'impact sensoriel provoqué par la vision ou le contact avec la personne aimée est souvent décrit : « Il ou elle était si beau / si belle ; j'en étais tout(e) tremblant(e), tout(e) sidéré(e) » ; « Je n'oublierai jamais le jour où nous nous sommes tenus par la main » ; « J'ai été amoureuse pendant deux jours, et cela a été extraordinaire. Il était un peu plus âgé que moi. Il était le fils d'amis de mes parents. Nous étions dans une fête foraine ; j'avais 9 ou 10 ans, lui 13 ou 14. Comme il était plus grand et plus fort que moi, il m'a portée sur ses épaules pour que je regarde les clowns cachés par le public qui les entourait. En y repensant aujourd'hui, je revis mes sensations d'alors : ses épaules qui me semblaient si larges et si puissantes sous mes jambes repliées »...

« J'ai été amoureuse de mon cousin, lui aussi peut-être, mais nous n'osions pas nous le dire. J'avais 8 ans, lui 10. À chaque fois que je le rencontrais aux réunions de famille, si nous étions assis l'un à côté de l'autre, j'en étais si ébranlée que, moi la plus bavarde de tous les enfants, j'en perdais la parole » ; « J'aimais qu'il m'explique des phénomènes physiques très compliqués. J'ai gardé le souvenir de ces moments où, penchés sur un livre, nous devions rapprocher nos chevelures et nos visages » ; « Nous partions en balade sur son vélo. Je garde encore l'odeur de sa vieille veste de cuir sur laquelle je posais ma tête pendant que nous roulions ensemble »...

Ce qui est aussi très souvent évoqué avec bonheur, ce sont les rires et les fous rires partagés. Ce qui reste de ces premières histoires d'amour est de l'ordre de la sensualité et de l'émotion, bien en amont de la sexualité génitale.

Si ces moments amoureux sont relativement rares, s'ils constituent les prémices d'amours futurs, il est important d'en préserver la qualité. Ces premières rencontres n'augurent en rien de l'avenir de la vie sentimentale, mais la découverte de l'amour à un âge plus tardif n'en sera que plus riche.

APPARITION DE LA PUDEUR

Ce qui caractérise la curiosité sexuelle pendant cette période de l'enfance, c'est qu'elle s'exerce de façon moins extériorisée, beaucoup plus discrète que pendant la toute petite enfance. À certains âges, une plus grande pudeur est à l'œuvre dans les relations entre enfants. Elle est à respecter par les éducateurs et par les parents. Il peut exister des périodes – à l'approche de la puberté, par exemple, vers 10-11 ans – lorsque le corps commence tout juste à changer : apparition des seins pour la fille, taille qui se met à augmenter pour le garçon qui peut alors devenir un grand « dégingandé », la voix qui commence à muer, en même temps qu'une plus grande pudeur, une timidité nouvelle peuvent apparaître. Lorsque les corps n'étaient pas nubiles, il était plus facile de « faire semblant de s'aimer ». Désormais les garçons osent moins s'approcher des filles et réciproquement. La crainte d'un contact trop rapproché avec l'autre sexe peut dominer. Les parents ont à respecter ces temps de repli et de pudeur et surtout à ne pas commenter, ne pas se moquer, ni tenter d'organiser les rencontres entre ceux qui paraissent s'aimer parce qu'on les voit rougir l'un face à l'autre.

Bien entendu, cette phase « pudique » n'est pas uniforme : elle se manifeste de façon différente en fonction de chaque enfant, mais elle est toujours présente entre la petite enfance et la puberté (impossible d'enlever son maillot de bain sur la plage, de sortir de sa chambre en sous-vêtements...). Le contexte social et culturel, l'impact de la télévision et des médias ont aussi une influence. Chez les Nordiques, la nudité est admise pour le bain collectif et le sauna ; dans les pays du Maghreb, les petits garçons partagent la vie des femmes jusqu'à la puberté et vont au hammam avec elles. En revanche, des comportements très érotisés chez des enfants prépubères sont le signe d'une pathologie.

L'hypersexualité, signe d'une grande souffrance psychique

Des manifestations sexuelles voyantes, tels ces enfants qui exhibent leur corps impubère, qui se masturbent, qui recherchent répétitivement un contact corporel avec d'autres enfants plus jeunes ou plus âgés, peuvent choquer les adultes. Une hypersexualité peut témoigner d'une très grande souffrance affective et pas seulement d'abus sexuels avérés qui dans notre société actuelle sont trop souvent soupçonnés.

Patrick a été confié à ses grands-parents maternels à Poitiers. Sa mère, instable dans ses liens amoureux, affectivement et financièrement démunie, vit seule à Paris. Dans son logement exigu et insalubre, elle est incapable d'assumer l'éducation de son fils. La grand-mère, puis le grand-père meurent alors que Patrick atteint ses 10 ans. Patrick est recueilli par Mariette, une sœur de la mère, veuve depuis cinq ans et mère de trois enfants dont l'aîné, Jean-Marie, a lui-même 10 ans. Mariette, une jeune femme inquiète et généreuse, débordée par son travail d'aide-soignante, par les tâches éducatives et ménagères, a accepté cette charge supplémentaire d'un enfant dans son appartement trop petit car elle veut éviter à Patrick un placement dans un foyer. Patrick doit assumer dans une grande solitude affective le deuil de ses grands-parents qui lui apportaient tendresse et sécurité. Dans un premier temps, il s'enferme dans la solitude et le silence. Puis il sollicite de plus en plus souvent sa cousine Barbara âgée de 8 ans. Dès qu'elle est en sa présence, il se colle à elle et parfois la rejoint la nuit dans son lit. Barbara n'ose pas le repousser. Dans sa nouvelle école – car sa tante habite un quartier différent de celui où il était scolarisé auparavant –, Patrick parle peu, bouge beaucoup, et recherche répétitivement le contact corporel avec les filles de sa classe. Il les suit aux toilettes. Elles le repoussent et se plaignent de ses sollicitations et de sa curiosité centrée sur leur sexe. L'institutrice s'interroge sur d'éventuelles maltraitances sexuelles que subirait le petit garçon. Après une rencontre avec la tante tout à fait désemparée et qui se sent impuissante vis-à-vis du comportement de Patrick, elle réussit au bout de quelques mois à faire venir la jeune mère de Patrick. Celle-ci, rassurée par l'absence de jugement de l'enseignante, lui décrit sa propre situation. Un suivi par une équipe en pédopsychiatrie sera mis en place.

COMMENT SÉDUIRE À 8 ANS

Beaucoup de jeunes enfants à l'âge qui précède la puberté (vers 9-11 ans) parlent de leur attirance pour ce qu'ils appellent « la beauté physique », qui englobe également l'apparence : vêtements, bijoux, parures... « Une fille est belle, déclare Mathieu, lorsque son corps a des formes harmonieuses, qu'elle a une belle démarche, qu'elle est coquette, bien coiffée, habillée avec de jolies couleurs. »

Les enseignant(e)s témoignent de l'importance accordée aux pinces à cheveux, colliers, bracelets, colifichets, paillettes qui semblent attirer les garçons. Certaines filles très coquettes sont entourées d'une cour de garçons.

Les filles trouvent qu'un garçon est beau pour la couleur de ses cheveux, pour sa coiffure... Selon le style qu'on veut adopter, « c'est cool » d'avoir le cheveu court, hérissé sur la tête ou les cheveux longs avec une mèche qui couvre la moitié du visage. Leurs descriptions détaillent aussi la couleur des yeux, le sourire, les rires, la douceur, la gentillesse. Certains garçons sont eux aussi entourés d'une cour de filles. « Angelo, il est beau gosse ; toutes les filles sont amoureuses de lui », commente Hervé, 11 ans et demi, à propos d'un de ses copains.

Les enfants évoquent aussi la beauté intérieure de la personne dont ils sont amoureux. « Avec les filles c'est autrement qu'avec les garçons, raconte Hugo, un garçon de 9 ans. Clara, par exemple, est très très belle, pas seulement parce qu'elle a de beaux cheveux blonds, la peau si douce et une si jolie fossette lorsqu'elle sourit, mais elle est belle en dedans d'elle-même. Avec elle je peux parler de sujets très profonds, des livres qu'elle a lus, des sentiments qu'elle a pour son frère aîné et sa sœur et des miens pour mon jeune frère et mes parents. On peut parler de plein de sujets que j'aborde pas avec mes copains. »

Les conseillers principaux d'éducation, témoins de ce qui se passe entre les enfants en dehors des cours, sont de bons relais d'information sur ces sujets. L'un d'entre eux que j'ai interviewé me décrivait ce qui se passe entre les plus petits qui arrivent en classe de sixième. Il observe que les amitiés sont très changeantes, le vocabulaire amoureux aussi : par exemple, les termes *kiss* ou *mon dou-dou* désignent les « fiancés ». Beaucoup de messages s'écrivent sur les cahiers de texte, en même temps que commencent les échanges sur Internet. L'arrivée de ce nouveau support de communication n'a rien changé aux sentiments éprouvés ni à leur expression, selon les obser-vateurs. Dans les fêtes ou « teufs », les filles et les garçons restent souvent séparés. Les couples qui se forment sont le plus souvent platoniques. On se tient par la main – ça ne va pas plus loin.

AIMER, ÊTRE AIMÉ(E) : LA DURE ÉPREUVE DE LA RÉCIPROCITÉ

Les enfants devinent que leurs sentiments ne sont pas forcément partagés, et parfois ils se protègent du chagrin d'amour. Beaucoup aussi découvrent l'empathie et devinent le chagrin que peut éprouver l'autre de ne pas recevoir l'amour qu'il ou elle attend. Plusieurs enfants m'ont dit leur souci de ne pas blesser la personne qui les aime. Certains sont néanmoins très directs dans leur refus, lorsqu'ils n'éprouvent pas de sentiment pour l'enfant qui les recherche. Parfois ils font faire par d'autres leurs « commissions » : « Je dois te dire qu'il n'est plus ton copain / ta copine. »

Lorsqu'ils osent se dire amoureux, ils redoutent l'indifférence, ils craignent d'être ridicules. Ils peuvent aussi être ambivalents. Être amoureux un peu, mais pas tant que cela. Ne pas se risquer à aimer : « Je suis pas certain(e) que je l'aime ou pas ; je veux pas faire de la peine. » Ariane, 8 ans et demi, commence par dire : « C'est ridicule, l'amour, quand on est petit. » Et quelques minutes plus tard, elle se contredit : « L'année dernière, j'ai été amoureuse. C'était très fort ; je pensais à lui tout le temps, mais je faisais semblant d'être indifférente pour pas avoir mal au cœur. » Gaby, 9 ans : « Avec Noémie j'ai fait semblant d'être amoureux pour qu'elle soit pas triste. » Au cours d'une conversation entre enfants, Maëlle, 9 ans, qui est « un tout petit peu amoureuse » de Jonathan, lui demande s'il a déjà été amoureux. « Oui, ça m'est arrivé, répond-il ; c'était comme ça, pas pour la beauté physique, mais pour la beauté intérieure. »

« L'AMOUR, ÇA PEUT PAS S' DÉCRIRE » ;
MAIS EST-CE QUE ÇA PEUT SE DIRE ?

« En fait j' sais pas ; elle avait du charme, ça peut pas s' décrire. » Beaucoup d'enfants de 10-11 ans ont, à l'instar des adultes, beaucoup de mal à décrire ce que peut être le sentiment amoureux.

Les manifestations passionnelles s'offrent parfois aux regards avec ostentation puis s'interrompent lorsque les spectateurs ont disparu. Ces mises en scène permettent un début d'expression de l'amour qu'ils sont en train d'éprouver sans trouver les mots pour le décrire. Elles permettent probablement de faire l'économie des risques. Comme au théâtre classique, où le rôle des servantes, des valets, des confidents consistait à transmettre les messages, un enfant amoureux trouve souvent un messager ou une messagère pour faire sa demande. Sylvain, qui a eu recours à ce genre de « service », déclare : « De cette façon, il y a moins de risque. Si l'autre accepte, c'est le bonheur ; s'il refuse, il y a moins la honte. » *Avoir la honte* :

que signifie ce sentiment qui revient si souvent dans les discours des enfants de cet âge ? Dans les remaniements intenses qui caractérisent la difficile sortie de la petite enfance, s'agit-il de la blessure narcissique, c'est-à-dire l'atteinte de l'amour de soi, cet amour que l'enfant commence à éprouver pour lui-même et qui est encore bien fragile ? Il redoute le regard des autres qui sont les témoins de ses réussites relationnelles comme de ses ratages. Les jugements de ces autres participent probablement à la constitution du Surmoi. Le Surmoi, cette instance, cette loi extérieure qui vient en premier lieu des parents et de la société et qui s'intériorise peu à peu, avant de s'intégrer à la personnalité de l'âge adulte.

Damien, quant à lui, a une âme de poète et sait déjà filer la métaphore ; pour parler d'amour, rien ne l'arrête : « L'amour, c'est un peu comme un bateau qui remonte les coquillages perdus au fond de l'eau. » Il affirme sans hésiter ni se mettre en cause : « Ceux qui se font aimer des autres, c'est ceux qui ont du talent. » Sa mère dit de lui qu'il a un « cœur d'artichaut » ; il est souvent amoureux, mais ne l'avoue jamais. Depuis qu'il a 7 ans, elle l'a observé lorsqu'il regarde l'une ou l'autre de ses copines avec des yeux énamourés.

Les enfants qui ont reçu le soutien affectif nécessaire pour acquérir une grande sécurité sont ceux qui se montrent les plus inventifs en matière de stratégie amoureuse, comme Nathalie qui vient de fêter ses 10 ans : « J'invite celui que j'aime à mon anniversaire avec deux ou trois autres garçons, pour "noyer le poisson". Je me débrouille pour rester le plus possible à côté de lui, le garder plus longtemps lorsque les autres sont partis. »

Carole devenue adulte me raconte un souvenir de petite fille : « À 8 ans, j'ai reçu une fois un mot d'amour. C'était en classe verte ; j'avais une amie qui était en même temps ma rivale. Elle était très jalouse : Éric, que nous convoitions toutes les deux, m'avait d'abord offert (à moi !) un morceau de granit avec des incrustations dorées. Et un jour, j'ai trouvé sous mon oreiller un mot où il me déclarait son amour (quel émoi ce jour-là...). Éric me demandait si je l'aimais. J'ai pas osé lui ouvrir mon cœur. Pourtant j'étais amoureuse mais j'avais un peu honte de le dire et encore plus de l'écrire. Maladroitement, je lui ai renvoyé son mot en écrivant au dos : *non*. D'autres enfants l'ont lu et se sont moqués de lui. Vingt années plus tard, je le regrette encore. » Que représentait cette honte pour Carole ? La honte d'éprouver de l'amour pour un garçon qui lui plaisait mais qui ne ressemblait à aucun de ceux qu'elle rencontrait dans son milieu familial, très différent de celui du garçon ? La peur de perdre la maîtrise de ses sentiments et de trahir ses parents ? La peur de n'être pas à la hauteur de cet amour ?

Johann, 9 ans, raconte le mot d'amour qu'il a reçu de Cécile et auquel il n'a pas répondu car lui n'était pas amoureux : « *Cher Johann, depuis le début de l'année, je t'aime en secret, je t'aime pour toujours, je me fais belle pour toi.* » « Je savais qu'elle m'aimait, dit Johann ; je le voyais parce qu'elle me regardait tout le temps, mais moi je n'ai rien ressenti pour elle. » Johann nous montre, comme l'ont dit les autres enfants, combien il respecte et prend en compte les sentiments de Cécile. L'amour, pour lui, c'est probablement sérieux, ce n'est pas un jeu. Il ne veut pas duper Cécile. Il n'est pas non plus apte à lui dire qu'il n'est pas amoureux, ni à lui proposer son amitié. A-t-il peur de la blesser, comme il le serait lui-même si un amour lui était refusé ? Il garde donc le silence. Mais il n'éprouve pas de honte comme Carole puisque apparemment tout est clair pour lui.

Écrire des mots d'amour, c'est s'exposer. Christophe : « C'est mieux de le dire à l'oral pour que les autres se moquent pas de toi à cause des fautes d'orthographe ou n'importe quoi ! »

L'outil Internet, comme les SMS, permet l'utilisation d'un code langagier bien pratique quand on n'est pas sûr de son orthographe ! Les enfants le déclarent sans ambages : « C'est mieux de s'écrire par Internet. » En effet, les phrases sont courtes et les mots réduits à leur plus simple expression : « A + », « Je t'm », par exemple ; il n'y a plus de crainte à avoir pour les fautes d'ortho-graphe.

MSN, blogs et compagnie

Pour les filles comme pour les garçons, dès 9-10 ans, la communica-tion entre eux passe par Internet. Le système de messagerie en direct – par exemple, MSN – permet les échanges en instantané. Ils partici-pent aussi à des forums de discussion. Les enfants donnent leur avis, parlent d'eux-mêmes, partagent plus spontanément, plus facilement un certain degré de complicité, au travers de la description de leurs goûts et de leurs aversions : « Moi j'aime / moi j'aime pas telle et telle coupe de cheveux, tel pantalon, telles chaussures, tel ou tel rea-lity show. » Sur les blogs, ils installent leurs photos, celles des copains, les musiques qu'ils aiment, leurs vedettes préférées. Parfois, ils posent des questions qu'ils n'oseraient pas poser de vive voix. En effet, pour les timides, Internet permet d'entrer en relation de façon anonyme, sous un pseudonyme. On pourrait juger le contenu de ces échanges très narcissique, mais c'est à cet âge de la vie que les enfants construisent leur identité et la vision de leur Moi.

Plusieurs enseignants et directeurs d'établissements que j'ai rencontrés manifestent beaucoup d'inquiétudes à propos d'Internet. Ils décrivent le manque de sens critique des jeunes enfants qui n'ont plus l'occasion de confronter différentes sources et risquent de prendre toute information pour argent comptant. D'où l'importance de développer leur esprit critique et de leur montrer les pièges dont nous risquons tous d'être victimes : les parents ne manquent actuellement pas d'exemples d'informations fausses qui circulent par le courrier électronique. De plus, il peut arriver qu'une personne adulte, un adolescent ou même un enfant qui entre sous un pseudonyme dans le réseau, sous prétexte de chercher une amitié, soit un manipulateur ou un pervers. Certains désirent nuire. Il existe des risques de chantage et de rencontres malveillantes. Certains messages peuvent diffuser des rumeurs médisantes. En provoquant des soupçons totalement infondés, ils peuvent susciter des inimitiés, des chagrins, des rivalités, des bagarres, et même arriver à rompre une relation d'amitié ou d'amour. Mais ce genre de risques n'est finalement pas spécifique aux échanges entre internautes... Il faut donc raison garder.

L'usage d'Internet auprès des enfants

Dans un article très bien documenté de la revue L'École des parents *de février 2006, « Protéger l'enfant d'un usage incontrôlé du Web » du numéro hors série sur les Actes du colloque de la FNEPE (Fédération nationale des écoles, des parents et des éducateurs), « Quel est l'impact des technologies de l'information et de la* communication sur les jeunes et sur les relations familiales ? », Olivier Peraldi, adjoint au délégué interministériel à la Famille, nous apporte d'intéressantes informations : il nous rappelle que 92 % des enfants surfent chez eux ou chez des amis et que 83 % des 8/17 ans surfent sans que leurs parents le sachent. Ces chiffres démontrent l'ignorance des parents quant à la réalité de l'usage d'Internet par leurs enfants. Il nous apprend que les FAI (fournisseurs d'accès à Internet) mettent à la disposition des parents un logiciel de contrôle parental performant et gratuit. Mais « aucun logiciel n'assure une protection à 100 %... car il existe des stratégies de contournement... », nous rappelle Olivier Peraldi qui plaide pour que « l'installation d'un logiciel et sa configuration... se fassent en pleine transparence avec les enfants ». S'il est certes important d'en contrôler l'usage, l'ordinateur utilisé comme jeu et comme instrument permettant aux enfants d'entrer en relation les uns avec les autres ne devrait pas être considéré seulement avec méfiance. Ce même outil peut en effet devenir un support de dialogue entre adultes et enfants et un formidable instrument d'accès à la culture qui peut bénéficier à toute la famille comme aux relations d'amitié entre les enfants.

GUÉRI PAR L'AMOUR

Les Lettres d'amour de 0 à 10 ans de Susie Morgenstern, dont je conseille vivement la lecture, m'évoquent les récits que m'ont faits nombre d'enfants et d'adultes lorsqu'ils évoquaient leurs souvenirs amoureux. Je me souviens, par exemple, de Nathan, un enfant que j'ai soigné depuis sa naissance. Il était parmi les premiers de sa classe, très timide, très maladroit, ne se mêlant jamais aux jeux des autres. Et puis un jour, alors qu'il avait 10 ans, en plein milieu de l'année du CM2, est arrivée Aurélia, petite fille d'origine italienne, brune, vive, qui ne parlait pas très bien le français. Elle ne souffrait d'aucune inhibition, éclatait souvent de rires bruyants, et inventait des jeux qui regroupaient autour d'elle des filles et des garçons de sa classe. Nathan semblait médusé. Il se mettait dans un coin de la cour et observait les scènes qui se déroulaient sous ses yeux. Invité par Aurélia, il se joignit peu à peu timidement aux groupes menés à grand train par la petite fille. De retour chez lui, il ne cessait de parler d'Aurélia à sa grand-mère qui le gardait pendant que ses parents étaient au travail. Nathan était souvent malade ; aussi je le rencontrais à peu près une fois par mois. Sa grand-mère était inquiète de la fascination qu'exerçait Aurélia sur Nathan. Son travail scolaire n'était plus aussi bon. À la maison, il passait beaucoup de temps à « rêvasser », sauf lorsque Aurélia s'invitait avec spontanéité chez eux. En même temps, Nathan sortait de sa coquille, se rendait aux fêtes d'anniversaires, surtout lorsque Aurélia y était présente – ce qu'il refusait à chaque fois auparavant. Quand les parents de la petite fille l'invitèrent de plus en plus lui tout seul, à la demande de leur fille, Nathan se métamorphosa. L'amour lui avait donné des ailes. Il fut moins souvent malade. En ma présence, ce petit garçon qui comblait ses parents par sa réussite scolaire, mais qui m'avait longtemps inquiétée par son immobilité lorsqu'il se tenait assis sans bouger sur une chaise face à mon bureau, par son mutisme, sa politesse excessive, par sa façon de ranger dans un ordonnancement parfait tous mes jouets sur ma table, devint de plus en plus prolixe, moins intéressé par le rangement, et parfois même, selon ses parents, un peu trop agité. J'invitais les parents à se réjouir de cette transformation. « Les mots, s'ils ne coulent pas... se gèlent, ces mots qui sont les messagers de l'âme », écrit Susie Morgenstern. Pour Nathan, en effet, ce fut le dégel. Aurélia lui avait rendu sa vitalité et sa parole.

L'une a des ailes, l'autre pas

Comme l'amour donne des ailes, la personne amoureuse fait des envieux et suscite des inimitiés. On devient jaloux de la personne qui a permis à ses ailes de pousser.

Julie, 9 ans, me raconte que, depuis qu'elle est amoureuse de Lucas et qu'elle sait que c'est réciproque, Virginie la déteste. Elle lui dit des gros mots et la traite de « mémé ». Elle s'amuse

avec son prénom : « Julie, Julot, tu vas baigner dans ton jus... »
Lorsqu'elles sont voisines de table, Virginie copie ce que Julie écrit.
Julie aimerait dénoncer Virginie, mais en même temps elle ne veut
pas être une « dénonceuse ». Virginie a invité Lucas à son anniver-
saire et lui a interdit d'amener Julie. Heureusement, Julie a trouvé
des alliées qui partagent ses jeux dans la cour et éloignent Virginie.
Lucas a dit à ses amies qu'il aime toujours Julie. Il ne veut pas
qu'elle soit triste.

L'une vole les ailes de l'autre. Émeline, 10 ans, me raconte :
« J'étais amoureuse de Théo ; on était bien ensemble, on jouait, on
se parlait, on se tenait par la main. J'étais heureuse. Marie a dit à
Théo qu'elle était amoureuse de lui et il s'est mis avec elle. Dans la
cour, Marie a défendu à Théo de jouer avec moi. J'ai eu beaucoup de
chagrin. Maintenant je n'en ai plus. J'ai beaucoup de copines. Mais
je déteste Marie. Elle est moche et méchante. »

On voit que les stratégies pour séduire aboutissent parfois et
que les ruptures peuvent être brutales, du jour au lendemain : « Je
t'aime, je t'aime plus. »

Nous avons vu qu'entre l'âge de l'école primaire et
l'entrée au collège, cette période dite « de latence »
n'est pas toujours celle de la tranquillité. L'intérêt pour
autrui, pour les activités sociales, ludiques et culturelles
devient peu à peu dominant. En même temps qu'ils
découvrent leurs pairs, le milieu social, sa diversité, les
institutions et leurs contraintes, les enfants pénètrent
le monde des émotions, de l'amitié, de l'amour et de

leurs avatars. Les récits que font certains enfants de leur vie présente et certains adultes de la mémoire qu'ils ont gardée de ces premières expériences donnent à penser que ces rencontres amicales ou amoureuses qu'ils expérimentent en dehors de leurs parents constituent comme une répétition générale de celles qu'ils vivront avec plus de liberté et plus de risques dans leur vie future.

De même, à l'âge adulte, se trouver de nouveau confronté à des situations de rivalité peut réactualiser le souvenir du passé, prouvant ainsi qu'il n'a pas totalement disparu de notre mémoire – quand, par exemple, il y va de notre honneur, quand il s'agit d'éviter la honte, d'avoir peur du regard d'autrui. Certains comportements adultes nous rappellent parfois ce temps de l'enfance lointain et pourtant si proche.

Malgré des contextes différents, une plus grande liberté dans la parole, des enfants mieux informés, peu de choses ont changé depuis le temps où nous étions enfants nous-mêmes. Nous pouvons observer que les sentiments qui ont été vécus dans les générations passées ont bien des points communs avec ceux qui sont vécus aujourd'hui : l'amour qui n'ose se dire, les confidences aux amies ou aux grands-parents, mais jamais au grand jamais aux parents, les battements de cœur, l'attirance pour la beauté, la drôlerie ou un « je-ne-sais-quoi-d'indé-finissable » chez l'autre. Il n'est pas faux d'affirmer que, sous des habits différents, les sentiments et les émotions provoqués par l'amour sont éternels.

III

SENTIMENTS, AMITIÉS, AMOURS : L'IMPORTANCE DE LA VIE AFFECTIVE

LES ÉMOTIONS, LES SENTIMENTS, D'OÙ VIENNENT-ILS, OÙ VONT-ILS ?

Les émotions, ces mouvements intérieurs de courte durée que déclenchent les rencontres avec autrui, construisent les sentiments qui s'inscrivent dans la durée. Les émotions et les sentiments, en constante interaction, se déposent en nos mémoires et structurent nos affects qui tisseront nos vies, avec leurs élans d'amitié, d'inimitié, d'amour et de désamour...

Dans ses premières années, nous avons vu que c'est avec sa mère et son père que l'enfant construit sa vie affective. Grâce aux paroles que lui adressent ses parents, grâce aux jeux partagés, il découvre le bonheur des échanges. En même temps, il entre dans le langage. Il se l'approprie avec le rythme et les tonalités qui lui sont propres.

Depuis même avant sa naissance, l'enfant reçoit les messages émis par les personnes et les objets du monde extérieur. On sait combien les systèmes sensoriels communiquent entre eux, combien, au niveau anatomique et physiologique, s'établissent des chemins, des associations entre l'audition et la vision, le sens tactile et l'audition, l'olfaction et l'appareil neurovégétatif et endocrinien... Toutes les combinaisons possibles se mettent en œuvre dans tous les sens. Ces combinaisons nous permettent d'entendre avec notre peau, de voir avec nos oreilles, d'écouter avec nos yeux. Ce sont ces associations qui nous permettent de passer d'un registre à l'autre. Une musique peut évoquer des images, on peut dire d'un tableau qu'il a des couleurs agressives. Des images peuvent être fortes comme le sont certaines odeurs. Ces possibilités sont utilisées dans la communication et nous permettent d'établir ce que Daniel Stern, psychanalyste et professeur de pédopsychiatrie à New York puis à Genève, appelle, dans son ouvrage *Le Monde interpersonnel du nourrisson*, « l'accordage affectif » ; il constituerait une sorte de sixième sens.

L'accordage affectif

Lorsqu'un bébé esquisse une mimique et que la mère y répond par la voix (le bébé fronce les sourcils, par exemple, et la mère réagit par un « Oh ! » dont la courbe prosodique suit la courbe des mouvements du visage de l'enfant), elle met en action, de façon tout à fait inconsciente, cette sorte de sixième sens. D'une certaine façon, l'intérêt de ce sixième sens est de pouvoir se brancher directement sur l'état affectif de l'autre, en l'occurrence la mère sur l'état affectif de son bébé. Pour étudier ces phénomènes, les interactions mère/enfant ont été filmées pendant leurs jeux. L'expérimentateur et la mère regardent ensuite le film et peuvent en arrêter les séquences à chaque fois qu'ils le désirent. On demande à la mère d'expliquer pourquoi elle a fait telle action à tel moment et si elle en a eu conscience. Les réponses révèlent que ces phénomènes échappent totalement à la conscience. Pour que le bébé comprenne les réponses de sa mère, il faut que ces attitudes soient pour lui traduisibles, qu'elles prennent un sens. L'harmonie ne peut se faire que si le bébé est capable de percevoir cet état chez sa mère. Et il l'est. Il possède ce sixième sens qui lui permet d'appréhender son environnement par ses perceptions sensorielles. Par exemple, un nourrisson de 3 semaines peut reconnaître l'aspect d'un objet qu'il n'a encore jamais vu s'il a eu la possibilité d'en sentir la forme dans sa bouche alors qu'il avait les yeux bandés. Une preuve de cette transposition se manifeste également dans le langage des personnes adultes : une douceur, par exemple, désigne aussi bien une sucrerie qu'une sensation douce au toucher, qu'un mot doux à lire ou à entendre, qu'une relation douce à vivre... Les artistes et les poètes sont souvent les plus sensibles à cette unité du monde. « Les parfums, les couleurs et les sons se répondent », disait Baudelaire. « A noir, I rouge, U vert, O bleu », écrivait Rimbaud.

Bertrand Cramer, collègue de Daniel Stern, lui-même psychiatre et psychothérapeute de bébés et d'enfants à Genève et auteur de l'ouvrage *Profession bébé* (Hachette Littératures, coll. « Pluriel », 1989, p. 79), traduit l'accordage affectif en termes de « résonance émotionnelle » : « La sensibilité du bébé aux messages maternels est telle qu'on peut réellement considérer que, lors de leurs inter-actions, la mère et le bébé sont dans un état continu de conversation. »

Cette capacité de transposition d'un état affectif à un autre est fondamentale et se poursuit avec plus ou moins d'avatars tout au long de la vie. Elle sert de base à la possibilité de saisir la qualité des états affectifs de l'autre. Serait-elle une des composantes de cet « élan amou-reux », cette ouverture à un autre si mystérieux et difficile à définir ? L'histoire de ces accordages réussis ou ratés dans l'enfance contribuerait à former le sentiment du Soi et les identités affectives. D'où l'importance de cette nais-sance au monde des affects qui peuvent marquer toute une vie d'enfant.

On peut ainsi appréhender combien les désirs, les fan-tasmes des parents au sujet de leur bébé imprègnent le comportement de ce dernier et influencent leurs relations réciproques. Nous savons que les petits enfants ne sont pas des êtres passifs. Chacun a ses propres réactions, cha-cun accueille et stimule différemment son environnement. Certains enfants, par exemple, sont plus sensibles aux sons, à la perception visuelle, au toucher ou à l'olfaction... Dans un milieu parental où la musique tient une grande place, certains enfants seront, par exemple, plus sensibles aux sons. Ils entreront en relation proche avec les autres par l'écoute ou la production de chansons. Ceux qui grandissent avec des parents qui dansent seront plus sensibles aux gestuelles... Avec leurs amis, ils entreront plutôt dans la danse. Certains enfants sont très réactifs ; d'autres, plus en retrait, prendront plus de temps pour signaler et manifester leurs préférences. Certains sont plus actifs, d'autres plus contemplatifs. De multiples facteurs entrent en ligne de compte : le rang dans la fratrie, l'accordage plus ou moins grand de l'un des deux parents avec l'enfant, les événements qui surviennent dans la vie de la famille et qui touchent l'un ou l'autre parent. Ceci constitue, pour les cliniciens comme pour les chercheurs, un champ de recherche absolument passionnant.

Bases neuronales des émotions et de la vie affective

Tout au long de nos rencontres, les émotions font resurgir, résonner avec plus ou moins d'intensité les souvenirs. C'est ainsi que se façonne notre vie affective qui détermine la construction de soi. Si nous sommes marqués par nos premières expériences, nous n'en sommes heureusement pas dépendants. Notre destin n'est jamais tracé à l'avance.

Les souvenirs structurent notre mémoire. Celle-ci se construit par le mélange des informations sensorielles qui sont liées à nos expériences vécues. Nos cinq sens sont reliés à notre cerveau par des neurones. Ceux-ci transportent les informations en traversant les très nombreuses connexions appelées « synapses », qui relient les neurones les uns aux autres. Cette formidable machine constituée d'une centaine de milliards de neurones, chacun relié directement à dix ou vingt mille autres par des synapses, nous permet de percevoir et de construire nos souvenirs, nos sentiments, nos savoirs, de les stocker, les organiser, afin de les mobiliser pour décider et agir. Les neurones et leurs connexions naissent et se multiplient à un rythme accéléré dans les premiers mois et les premières années de l'enfant, tout au long de son évolution sensorielle, psychomotrice, et cognitive. Les récentes recherches en neurobiologie ont permis de découvrir que, même lorsque le cerveau a atteint sa maturité, il possède une étonnante plasticité neuronale tout au long de la vie. En effet, les expériences sensorielles qui laissent des traces dans le cerveau modifient les synapses et en créent de nouvelles. Nous perdons des neurones en permanence car les neurones meurent, mais en permanence aussi se créent de nouveaux neurones. La maturation du cerveau qui s'effectue tout au long de l'enfance est donc loin d'être achevée à l'adolescence.

Ces découvertes sont à mettre en parallèle avec les hypothèses psychodynamiques : si les relations entre adultes et enfants et entre enfants ont une importance essentielle dans le développement de la sensibilité à autrui depuis les premières années de la vie, elles ne sont pas fixées pour le restant de l'existence et donc pas totalement déterminantes pour l'avenir. Le fait que la mémoire et les sentiments sont en permanente interaction laisse la porte ouverte à toutes sortes d'innovations et de créativités que les êtres humains développent dans leurs relations, depuis l'enfance, puis l'adolescence jusqu'au terme de la vie. Dans cette évolution, la rencontre de personnes nouvelles qui déclenche de nouvelles émotions, de nouveaux sentiments entre en interaction avec la mémoire ancienne, crée une dynamique permanente qui accompagne toute vie affective.

LES PREMIERS LIENS AFFECTIFS ET LES RELATIONS DANS LA FRATRIE

Le tout premier émoi amoureux, c'est celui que le bébé éprouve envers sa mère. Cette émotion est le plus souvent (mais pas toujours...) partagée. Pour les personnes sensibles qui en sont les témoins, ces échanges de regards, de sourires, de roucoulements, de mimiques, les gestes de tendresse, la main du bébé posée sur le sein et le bras de la mère, la petite tête qui s'enfouit au creux de l'épaule, le visage illuminé de la mère, ses gestes d'accueil envers son bébé évoquent un sentiment divin. Depuis la nuit des temps, ces manifestations ont inspiré les œuvres des sculpteurs, celles des peintres. Les « Vierge à l'Enfant » témoignent de ce divin amour entre une mère et son tout petit enfant. Ces relations duelles entre la mère et l'enfant s'ouvrent ensuite aux relations plurielles avec frères et sœurs dans la fratrie.

C'est grâce à la fratrie que les enfants entrent en relation les uns avec les autres, découvrent et élaborent les premiers liens affectifs, la première socialisation. Les parents donnent le ton et, dans une atmosphère qui peut aller de l'affection à la froideur, de l'indifférence à l'hostilité, les frères et sœurs apprennent à vivre ensemble, à évoluer ensemble dans la complicité ou dans les conflits. Le rang dans la fratrie, l'importance de celle-ci – ce n'est pas la même chose d'avoir un frère ou une sœur ou plusieurs frères et sœurs –, la distribution des sexes, les écarts entre les naissances, chacune de ces données a son importance.

C'est dans sa famille, avec ses frères et sœurs, qu'un enfant rencontre le premier « autre » proche et différent par son sexe et son âge. Dans cette petite société, les enfants s'aiment, sont complices, mais parfois sont rivaux et se haïssent. S'ils découvrent leurs premières connivences, ils font aussi l'expérience des premières épreuves pour conquérir et garder l'amour d'un autre : parent, frère ou sœur plus jeune ou plus âgé(e). Les passions sont parfois violentes ; on est tout amour ou toute haine, et ceci d'autant plus que les âges sont proches. Lorsque l'agressivité se manifeste de la part d'un(e) aîné(e), mais aussi d'un(e) puîné(e), les blessures qui en résultent peuvent retentir sur le développement affectif de l'enfant, s'étendre aux relations extérieures à la famille, se prolonger à l'adolescence et parfois même à l'âge adulte.

Entre frères et sœurs, ce n'est pas toujours tendre

Julie, 8 ans, est de plus en plus triste. Les parents, inquiets, viennent me consulter car leur fille est triste et s'isole de plus en plus souvent dans sa chambre. À l'école, alors qu'elle rêve de se faire des amis, elle se montre si timide, si gauche, qu'elle ne cesse de se faire agresser par l'un ou l'autre des garçons les plus durs de la classe. Julie est la deuxième de la famille. Antoine a quinze mois de plus qu'elle. Deux autres enfants sont nés après elle : sa sœur Annette deux années plus tard et Jean-Luc dix-sept mois après Annette. En cinq années, Marie, la jeune maman, a la lourde charge de s'occuper de quatre enfants. Les moyens financiers du jeune couple sont réduits. Le père, assistant architecte, accepte de nombreux chantiers pour subvenir aux besoins de sa famille. Il est souvent absent. Marie a dû renoncer à son métier d'enseignante ; souvent submergée par les tâches ménagères et les soins à dispenser à ses quatre enfants, elle pouvait difficilement être attentive aux émotions et aux relations qui se nouaient entre ceux-ci. Antoine avait très mal vécu la naissance de Julie, trop vite suivie par les deux autres grossesses. Il était de plus en plus agressif avec sa jeune sœur qui était devenue son souffre-douleur. Julie, pour épargner sa mère, ne se plaignait jamais à elle des mauvais traitements qu'Antoine lui infligeait « en douce » : coups, morsures, interdictions de partager les jouets, interdictions de partager les espaces communs... poupées cassées, livres arrachés, déchirés. Lorsqu'elle se plaignait à son père ou à ses grands-parents, chacun lui disait qu'elle exagérait et devait apprendre à se défendre. Lorsqu'elle est en ma présence avec ses parents, Julie, des sanglots plein la gorge, ose enfin raconter ses émotions et sa peur de la violence de son frère. Les parents sont stupéfaits de découvrir la situation. Non sans mal, celle-ci évoluera peu à peu. Qu'est-ce que Julie gardera à l'âge adulte de la violence de son frère à son égard ? Quelles conséquences pour ses relations futures avec les hommes ?

Entre frères et sœurs, les enfants s'observent, se voient dormir, rire ou pleurer, se bagarrent, s'aiment, se détestent, se touchent, apprennent à connaître le corps de l'autre, semblable ou différent... Nous savons que les premiers contacts corporels, les premiers jeux sexuels entre enfants du même sexe ou de sexe différent se découvrent dans la fratrie. Beaucoup d'enfants disent que leur plus grand(e) ami(e), ce fut un frère ou une sœur. Leur plus grand chagrin d'amour aussi.

Les expériences affectives y sont nombreuses. Les enfants vivent ensemble les bons et les mauvais moments : petits bonheurs, naissances, deuils, disputes entre les parents, divorces. En fonction de son âge, de son sexe, de son tempérament, chaque enfant a sa façon personnelle de vivre ces situations ; au fil du temps, chacun se singularise. Face à une détresse familiale, par exemple, des alliances très fortes peuvent se nouer entre certains, qui chercheront à prendre en main la situation, voudront occuper tout l'espace et tenter de capter l'amour exclusif pour un parent ou un autre de la fratrie, pendant que d'autres, au contraire, s'isoleront. Les stratégies sont multiples et peuvent s'inscrire dans la vie psychique comme modèles inconscients de relations d'amour et d'amitié dès la période de latence appelée aussi « âge de raison ». Tel aîné plus chéri que les autres et qui a toujours été le modèle en tout n'aura de cesse de détruire cette image idéale dans ses relations amicales et amoureuses ; il ne supportera pas d'être aimé de façon inconditionnelle. Ces comportements inconscients peuvent se poursuivre dans la vie adulte et peuvent même influer sur le choix d'un conjoint : j'ai souvent reçu le témoignage, par des épouses d'hommes violents, de maltraitances antérieures vécues dans la fratrie comme celles qu'a connues Julie.

Pour les enfants uniques, les premières expériences se déroulent dans la famille élargie ou en dehors de la famille.

Ces enfants sans fratrie peuvent construire avec leurs cousins, cousines des liens de grande proximité. Souvent ils recherchent, plus tôt que d'autres peut-être, la compagnie d'autres enfants et d'autres fratries avec lesquels ils nouent des relations privilégiées. S'ils ont la chance d'être bien accueillis par les familles des copains, leurs parents devraient s'en féliciter et y voir l'occasion d'expériences enrichissantes, plutôt que d'être éventuellement en rivalité avec la famille « d'adoption » de leur enfant unique.

L'importance des premières amitiés

On oublie rarement, une fois devenu adulte, ces grandes complicités de l'enfance. J'ai rencontré des personnes de 60 ans qui, sans les avoir jamais revus, se rappelaient les noms de famille et les prénoms des amis qu'ils ont eus entre 8 et 12 ans. Ils gardaient en mémoire bien des détails : tel objet échangé, tel jeu complice et parfois « coupable » dans un lieu bien précis, telle vengeance un peu sadique à propos de rien, telle moquerie ou, au contraire, telle parole admirative. La complicité née entre les enfants à cet âge laisse des traces pour la vie entière, tellement les sentiments sont forts et les passions exclusives. Souvent la communication s'établit à partir de codes secrets qui montrent bien l'osmose existant entre les amis : ils ne se comprennent qu'entre eux.

Les mots secrets, les codes, les rituels inventés par les enfants ont pour fonction de les sécuriser et permettent de mieux vivre la période de latence. Ces créations font office d'objets transitionnels entre eux. En effet, c'est souvent autour de mots codés ou d'autres rituels connus des seuls intéressés, qui sont comme des contrats secrets ne devant être divulgués à personne, que s'initient et se prolongent des amitiés.

Les vertus du code secret

Valérie et Amélie ont inventé un code secret : lorsqu'elles échangent des messages écrits, elles désignent leurs lieux de rendez-vous par la première lettre d'un prénom suivie de pointillés. Elles se sont inventé une géographie intime.

Lucie se retrouve souvent seule. Elle a 10 ans. Sa mère a quitté son père pour suivre un autre homme aux États-Unis. Son père rentre tard du travail et a peu de temps à lui consacrer. Lucie s'est trouvé un ami qui habite près de chez elle. Il s'appelle Étienne. Elle est souvent invitée par la famille d'Étienne. Les deux enfants découvrent dans un livre un animal imaginaire qui leur plaît : le « lapin-loup ». Ce « lapin-loup » devient leur mot fétiche. Lorsqu'ils s'interpellent de loin et ne se voient pas au premier coup d'œil, ils lancent ce mot à la volée et ainsi ils se retrouvent facilement. Une grande connivence s'établit entre eux, ils rient beaucoup ensemble, s'imitent l'un l'autre. Lucie gardera cette facilité à entrer en amitié toute sa vie d'adulte.

Jérémie et Jonathan ont inventé un jeu entre eux, c'est à qui ramassera le plus de prospectus distribués dans les boîtes aux lettres. Ils se donnent une règle : personne ne doit les surprendre dans cette mission secrète. S'ils sont vus, ils doivent jeter immédiatement tout ce qu'ils ont ramassé. Ils se retrouvent après l'école pour compter leur butin respectif. Celui qui en a le plus est gagnant et doit offrir un cadeau à l'autre. La recherche de prospectus et de cadeaux à offrir les occupe beaucoup et les amène à penser sans cesse l'un à l'autre.

Une communauté de goûts...

Les groupes de copains se forment autour de rituels langagiers, d'affinités souvent normatives, qu'elles soient dans les goûts musicaux et/ou vestimentaires. L'entrée en amitié passe en effet par cette communauté de goûts, cette attirance pour les mêmes objets, les mêmes jeux, la même manière d'utiliser son temps libre. Bien évidemment, les modes varient non seulement d'une génération à une autre mais d'une année à une autre : les garçons ont abandonné les billes, les collections de cartes de téléphone et les porte-clefs. Leur ont succédé les jeux vidéo, les blogs et autres MP3. À ces âges, le mimétisme est grand ; chacun copie l'autre et la démarche marketing des grandes marques joue sur ces processus identificatoires bien connus. Sous la direction d'un leader, les vêtements (pantalons, chaussures, blousons, tee-shirts...) et les goûts musicaux sont d'importants signes de ralliement et parfois une obligation pour être coopté dans un groupe ou dans un autre. Les membres du groupe s'observent, font des commentaires, se complimentent ou se critiquent, ne sont pas tendres les uns envers les autres. Lorsqu'un enfant ne rencontre pas cette complicité et ne se fait accepter par aucun groupe, il peut le vivre comme une violence.

... qui n'empêche pas d'avoir sa personnalité propre

Néanmoins des distinctions s'opèrent. À partir de son contexte familial, de sa propre personnalité, chaque enfant construit sa propre façon d'entrer en amitié ou en amour avec les autres. Les différences de sensibilité entre les enfants deviennent plus marquées et plus remarquables. Par l'éducation reçue à la maison, à l'école et dans tous les lieux qu'ils fréquentent, ceux-ci apprennent à connaître de façon plus explicite leur environnement. Ils s'inscrivent de mieux en mieux dans une identité qui leur est propre et deviennent capables de l'affirmer, de la parler et de se distinguer les uns des autres. Ce passage d'un âge à un autre peut s'effectuer dans une continuité sans rupture avec le temps précédent ou, au contraire, avec violence quand cette évolution met en péril une amitié.

Comment une histoire d'amitié entre deux enfants peut se transformer en une violente inimitié

Simon a 8 ans et souffre d'une très grosse scoliose. À partir du CM1, des enfants commencent à se moquer de lui et l'appellent « planche à repasser ». On lui demande aussi s'il n'a pas avalé un ballon de foot... Doué d'un solide sens de l'humour, il résiste aux moqueries et à ceux qui l'agressent. Il fait rire aux éclats quelques copains en faisant le clown et en jouant à imiter l'un ou l'autre copain ou professeur. Dans une pièce de théâtre, il est Sganarelle, les deux jambes emprisonnées dans un grand sac, dans lequel il saute avec de grands cris. Avec ce rôle, il remporte un franc succès. Marco est celui qui rit le plus fort. Depuis ce spectacle, les deux garçons se rapprochent. Marco, qui a le même âge que Simon, est inventif et un peu poète. Les deux garçons deviennent complices. Ils inventent des petites scènes qui attirent dans la cour un petit cercle de filles et de garçons.

La relation entre les deux garçons se modifie peu à peu quelques semaines après l'entrée en sixième. Marco supporte de moins en moins la place de vedette occupée par Simon. Il devient beaucoup plus grand et plus fort, alors que Simon reste petit et malingre. Il l'agresse régulièrement par des brimades physiques et par des injures. Simon se défend à sa façon en mettant ses copains de son côté par le rire.

Cette histoire nous montre que, vers l'âge de 8 ans, les enfants deviennent plus sensibles à ce qui les sépare : handicap, milieu social, compétences scolaires, etc. Ils sont moins indulgents les uns avec les autres, moins bienveillants aussi. Une amitié qui peut commencer dans une totale identification à l'autre – l'autre, mon double (effet de miroir oblige) – peut évoluer vers une différenciation où chaque enfant se retrouve unique. Comme nous l'avons vu avec Marco et Simon, certains peuvent devenir violents et malveillants avec plus faibles qu'eux en force physique et en taille. Si les adultes rêvent de modifier la situation, les enfants ne sont pas obligatoirement en mesure d'être coopérants.

L'entre-soi fille ou garçon

Bien plus qu'à l'âge de l'école maternelle, où les jeux en commun sont plus indifférenciés et moins marqués par les identifications sexuelles, les amitiés des 8-12 ans rassemblent de préférence les enfants du même sexe. Dans la liste des copains et des copines, les amis du même sexe sont majoritaires, sans toutefois exclure totalement les copines pour les garçons, les copains pour les filles. « C'est mieux avec les copains, déclare Maxime, 8 ans : on peut faire des trucs ensemble ; c'est plus facile avec les garçons. Ils ont des caractères que j'apprécie. On a les mêmes passions. On joue avec les figurines qui se font la guerre. On joue aux dés. On joue sur les consoles d'ordinateurs. » « C'est mieux avec mes copines, dit Amandine : on a les mêmes jeux (la corde à sauter, l'élastique), on parle des sujets qui nous intéressent... »

Avant de s'aventurer vers l'autre (sexe), il faut d'abord ne pas se sentir trop godiche soi-même ; avoir une certaine assise identitaire est indispensable. L'ami(e) sert de double idéalisé : on se regarde dans l'autre et cette construction en miroir donne peu à peu le cran suffisant pour exister par soi-même.

Cette assurance conquise par étayage mutuel, pourrait-on dire, permettra de mieux se positionner à l'intérieur d'un groupe. Cette période se caractérise par l'émergence des personnalités, la position de leader se dessine, chacun essaie de trouver sa place. Interrogés sur leurs copains ou copines, les enfants peuvent très souvent en nommer une dizaine, mais les ami(e)s marchent par paire.

Les amitiés exclusives

Il n'est pas rare, déjà à cet âge, de préférer les relations privilégiées au copinage plus superficiel : « Ils/elles n'ont qu'un(e) très bon(ne) ami(e) », « Ils/elles sont inséparables » sont des commentaires souvent entendus. Cette amitié peut même devenir totalement exclusive. Pendant des semaines ou des mois, ils/elles ne se quittent pas d'une semelle, ne se retrouvent qu'en tête-à-tête, ont de l'admiration l'un(e) pour l'autre (dans certaines situations, l'échec scolaire, par exemple, peut être un sujet d'admiration pour le plus doué). Ils/elles manifestent du dédain pour les autres qu'ils/elles qualifient de « ringards » ou même de « débiles ».

Au fur et à mesure que les enfants acquièrent leur autonomie par rapport aux adultes, leurs sentiments deviennent de plus en plus passionnés et témoignent parfois (quels que soient les milieux sociaux) d'une très grande ardeur, d'un grand investissement relationnel. La violence passionnelle peut s'exprimer avec intensité entre deux personnes ou au sein d'un groupe. Ces amitiés exclusives s'exercent parfois au détriment de ceux et celles qui en sont exclus, comme nous le verrons plus loin à travers certains exemples.

D'autres enfants découvrent ensemble une complicité qui évoque une relation amoureuse. Ces grands moments d'émotions partagées, de contacts affectifs et corporels vécus avec intensité s'oublient rarement.

Bras dessus, bras dessous

Béatrice et Rébecca ont 11 ans, elles ne se quittent pas. Bras dessus, bras dessous, elles parcourent leur quartier. À la médiathèque, elles choisissent les livres, les B.D., les disques. Serrées l'une contre l'autre, elles lisent ou écoutent la musique ensemble. Elles vont se promener en ville pour admirer les vitrines, s'acheter des babioles, des CD et des DVD à bon marché. Elles s'inventent des métiers et des vies qui ne les sépareront pas. Elles achèteront un studio et elles seront toutes deux graphistes. Elles épouseront deux frères. Un après-midi, dans l'appartement désert, Béatrice a proposé à Rébecca de dormir ensemble dans le lit parental pour voir comment ça fait de se tenir dans un lit l'une près de l'autre. Elles ont fermé les volets, ont mis leurs chemises de nuit, et, après avoir longuement bavardé dans les bras l'une de l'autre, ont fait semblant de dormir.

Séparées par les circonstances — Béatrice a déménagé aux États-Unis —, les deux jeunes femmes continuent à s'écrire et se rencontrer une fois par an. Rébecca me raconte avec émotion ces souvenirs de si grande amitié : « Avec Béatrice, j'ai vécu ma première histoire d'amour. Nous avions les mêmes interrogations sur la sexualité, sur l'amour, et nous les avons explorées ensemble. Même si quelques vraies réponses à nos questions sont venues bien plus tard, ces moments furent merveilleux. »

Ces amitiés amoureuses, qui perdurent jusqu'à l'adolescence, représentent une étape indispensable dans la construction de la vie affective ; elles donnent des forces pour affronter ensuite l'altérité.

ÊTRE AMIS ET ÊTRE AMOUREUX,
CE N'EST PAS LA MÊME CHOSE

La grande différence entre l'amitié et l'amour, c'est que l'on ne peut être ami(e) sans que l'autre soit votre ami(e) aussi. Par contre, il est tout à fait possible d'être amoureux(euse) sans que l'autre personne partage votre sentiment.

Être amoureuse sans réciprocité

Charlotte, qui a 9 ans, est « transie » d'amour pour Michaël, qui en a 11. Elle le croise au cours de musique et parfois en bas de son immeuble. Elle tente de s'approcher de lui pour lui adresser la parole ou partager ses jeux, mais il ne la remarque guère et continue, sans la voir, à jouer avec ses copains. À la moindre occasion, elle parle de Michaël à sa mère, à son père et surtout à sa grand-mère. Rien n'est laissé de côté dans l'éloge du garçon : ses longs cheveux bouclés tout blonds, sa voix, sa beauté, sa taille ; il n'est pas jusqu'à son sac à dos vert qui n'ait retenu l'attention de Charlotte. Elle entraîne sa grand-mère de magasin en magasin pour trouver exactement le même modèle. Sa mère a noté que, lorsque Charlotte croise Michaël dans la rue, elle pousse un grand soupir, freine brutalement sa marche pour se retourner et suivre le garçon d'un regard langoureux et admiratif. Pendant plusieurs mois, ce sentiment amoureux ne quittera pas Charlotte. Michaël n'en saura jamais rien.

Le coup de foudre de Lila

Un sentiment divin qui restera secret.

Lila accompagne souvent sa mère aux réunions de quartier. Les femmes mettent en avant leurs difficultés et font passer leurs messages, les hommes les leurs. Lila s'ennuie profondément. À chaque fois qu'elle le peut, elle échappe à cette obligation. Un jour, en promenant son regard alentour, Lila découvre un jeune garçon peut-être de deux ans son aîné. Elle le connaît de vue : c'est le fils du libraire. Il s'appelle Gabriel, comme l'ange. Il a les traits fins, il est tout blond, aux yeux bleus souriants et rêveurs et ressemble vraiment à un ange. Son blouson rouge fait ressortir sa blondeur ; elle le trouve beau, si beau... De la place où elle se tient, elle peut l'observer sans être vue. En hiver, elle enfouit sa tête dans la veste en laine de sa mère et, depuis ce nid tout doux, ses yeux émerveillés contemplent à la dérobée, avec une intense ferveur, l'ange merveilleux. L'image de Gabriel emplit son regard, occupe ses pensées. Lila est ailleurs, emportée par ses sentiments. Tout est sujet à émotion : la silhouette de Gabriel, ses gestes, les mouvements de sa tête, sa chevelure blonde et ondulée. Elle se fond en lui et l'accompagne dans sa démarche lente et dansante. Elle ne récrimine plus jamais pour se rendre aux réunions devenues le lieu de son amour secret. Elle y « vole » avec enthousiasme. Les discussions interminables sur ce qui lui paraissait auparavant des broutilles passent désormais à toute allure. Chaque semaine, elle attend avec impatience d'aller contempler celui qu'elle aime. Elle n'osera jamais l'approcher. Cet amour restera immense autant que secret. Ni Gabriel, ni les parents de Lila ne devineront l'existence et l'intensité des émotions de la petite fille. À 35 ans, mariée et mère *de deux enfants, Lila me dit qu'elle n'oubliera jamais ces premiers sentiments amoureux. Sa mémoire les a conservés comme à la première heure. L'homme qu'elle a épousé ressemble d'ailleurs à Gabriel.*

L'amitié est un sentiment d'affection, de sympathie, d'empathie éprouvé par une personne pour une autre. Elle se manifeste par un élan, des manifestations de joie, de plaisir au moment de la rencontre avec la personne amie. L'amitié s'exprime par des gestes de tendresse, par le souci de l'autre, par l'« oblation » qui signe l'intérêt pour autrui et peut se manifester par le « don de soi-même ». Il est possible de passer d'une amitié à une histoire d'amour. Il est aussi possible qu'une inimitié se transforme en amour. Nous avons montré au premier chapitre comment les manifestations d'amitié, la sympathie, mais aussi l'antipathie peuvent commencer très tôt dans la vie, dès qu'un tout-petit acquiert une certaine autonomie, dès qu'il peut se déplacer, s'approcher d'une autre personne qui n'est ni sa mère, ni son père, ni sa fratrie. Lentement, l'enfant quitte l'illusion d'être englobé dans l'univers de sa mère, de son père et de sa famille. Nous avons décrit comment ces pertes successives et pas toujours aisées permettent à un enfant de percevoir l'autre comme distinct de lui-même afin d'éprouver cette empathie qui construit le sentiment d'amitié. L'amour, quant à lui, est un sentiment qui déclenche une émotion très intense. Il commence par être éprouvé pour la mère, pour le père, ou pour les personnes qui les remplacent avant de concerner une personne extérieure à la famille.

Lorsque l'enfant quitte l'univers maternel pour entrer dans la sociabilité, les deux sortes de sentiments se différencient peu à peu. Le plus souvent, ce sont les années qui précèdent la puberté qui permettent à un enfant de percevoir la différence entre l'amour et l'amitié. Il peut éprouver avec intensité ses premières émotions amoureuses. Il découvre que la réciprocité nécessaire à l'amitié ne se produit pas obligatoirement dans l'amour. Les enfants ressentent de façon implicite cette différence ; ils font cette découverte essentielle que la personne aimée peut jusqu'à ignorer qu'elle est un objet d'amour.

« L'amour, c'est deux fois plus grand que l'amitié, me déclare Damien, qui ajoute : L'amour et l'amitié, j'imagine ça avec des couleurs – bleu pour les amis, rouge pour l'amour ; parfois on peut se servir du bleu pour atteindre le rouge. »

Victor, 8 ans : « Un ami, c'est quelqu'un avec qui on se dispute pas. On se défend ensemble contre ceux qui nous disent des injures ou nous tapent. Un ami, c'est quelqu'un qui a de bonnes idées pour inventer des jeux. Charlotte, 9 ans : « Quand t'es ami(e) avec quelqu'un, tu te sépares jamais. L'amour, c'est plus fort, c'est la joie. » Julia sur la défensive déclare : « J'étais dans la cour, je parlais avec un garçon ; un groupe de garçons et de filles passe et me dit : "Ah ! t'es amoureuse." Et moi j'aime pas ça ! Parce que c'était pas vrai : c'est pas parce qu'on est bien avec un garçon qu'on est amoureuse. »

Coline, 9 ans et demi, raconte : « En colo, j'avais plein d'amis ; on était bien ensemble, on jouait, on rigolait. Des garçons ont fait un pari stupide : "La première qui m'embrasse, elle aura dix bonbons." Je me suis enfuie. » Damien, quant à lui, sait que les relations avec les filles, c'est pas comme avec les garçons ; il le dit en ces termes : « Avec les garçons, l'amitié, c'est plus physique ; avec les filles, elle s'exprime par les mots. »

Léonard, 8 ans : « L'amitié, c'est partager les émotions : quand on est gai, quand on est triste. C'est partager ses peines : quand mon papi est mort, j'ai raconté mon chagrin à mon meilleur ami. »

Toutes ces paroles d'enfants nous disent bien la différence que ceux-ci font entre l'amitié et l'amour et l'importance qu'ils attachent à l'un et l'autre sentiment. Même si l'amitié est forte, elle n'est pas aussi intense que l'amour. La relation d'amour ne se construit pas sur commande et peut encore moins être achetée. Les enfants ont le sens du respect de leur corps, de leur âme et de leur honneur. Ils refusent les obligations à aimer ou à devenir ami(e)s, que celles-ci soient énoncées par les adultes ou par les copains et copines.

PREMIERS REJETS, PREMIÈRES ÉPREUVES

Avoir de bonnes notes à l'école comme plus tard réussir professionnellement et socialement ou, au contraire, rencontrer des difficultés dans ces domaines ne sont pas sans interaction avec la vie affective et sentimentale. Ces premières réussites, ces premiers échecs peuvent marquer durablement. Quand on n'est pas le premier de la classe, l'intello, il faut savoir assurer autrement auprès des copains, utiliser d'autres moyens de séduction auprès des copines. Ce paraître social a des effets sur la construction du réseau relationnel. La crainte de prendre des initiatives pour instaurer une relation peut se doubler de la peur d'être l'objet de moqueries pour une faute de goût ou une faute de style. Les enfants font feu de tout bois pour se moquer de ceux qu'ils désirent mettre à l'épreuve. Les résultats scolaires, qu'ils soient bons ou mauvais, sont parfois la cible de ces moqueries. Les élèves qui sont les premiers de la classe peuvent être qualifiés de « fayots », ceux qui sont en échec de « gogols ». Toutes les particularités sont utilisées pour mettre un enfant plus ou moins fragile à l'épreuve.

Florence est devenue « la lexique » car, depuis le CP, elle suit une rééducation chez une orthophoniste ; John dont la mère est britannique est surnommé « l'Angliche » ; Carole dont le père est chinois, c'est « la Chinetoque »... Les barrières sont multiples et souvent posées sur un mode violent à ces âges de la vie, entre 8 et 12 ans. Certains enfants trop protégés dans leur vie de famille ou fragilisés par des traumatismes plus ou moins passagers sont moins aptes à les franchir pour initier les relations. Blessés par les paroles et les attitudes moqueuses, ils cherchent le réconfort auprès de leurs parents ou s'isolent.

Certains autres, issus de parents immigrés, s'éprouvent spontanément étrangers à leur milieu scolaire. Ils ne se sentent pas pour autant bien intégrés à leur culture d'origine. C'est le cas d'Ann Minh dont le prénom a été francisé en Anne-Marie.

Se vivre entre deux mondes

Anne-Marie est d'origine vietnamienne. Son père, qui était ingénieur à Hanoï, est vendeur dans un grand magasin. Elle entre en classe de sixème dans le meilleur collège de sa ville. Très vite elle se perçoit différente des autres élèves de sa classe. Elle ne se sent pas non plus à l'aise avec les enfants qu'elle côtoie dans son immeuble HLM et ne descend pas jouer avec eux dans la rue. Elle n'ose pas inviter des copines de classe chez elle. Sa mère n'y est pas favorable. Alors elle se protège et se retrouve souvent seule. Comme elle est travailleuse et bien meilleure élève que leurs enfants, les parents de son collège sont ravis de la donner en exemple et l'invitent souvent chez eux. Elle accepte de s'y rendre et s'y fait même quelques copines avec lesquelles elle sort en ville en dehors des heures de classe. Anne-Marie se rend vite compte que les camarades qui l'invitent vivent dans un confort qu'elle ne connaît pas. Elle n'est pas plus à l'aise avec les filles de sa communauté qui ne parlent que des séries qu'elles regardent à la télévision et de mode. Ce sentiment d'être étrangère et entre deux mondes l'habitera longtemps et ne s'atténuera qu'à la fin de ses études de médecine, lorsqu'elle débutera une vie plus active et plus responsable. Avec ses collègues et avec les infirmières, elle découvrira ses premières amitiés. Mais elle ne quittera jamais cette impression de vivre dans un « entre-deux ». C'est dans la solitude, affirme-t-elle, qu'elle trouve sa plus profonde harmonie. Ses ami(e)s et son compagnon ont appris à respecter sa singularité.

Les premiers rejets peuvent déclencher des premiers « gros chagrins » qui ravivent des blessures anciennes chez un enfant qui a connu beaucoup de séparations, une situation d'abandon ou qui a souvent changé de lieux de vie. S'il est bien soutenu par sa famille ou, comme nous l'avons vu, par des amitiés vivantes, complices et chaleureuses, les émotions seront moins violentes. Les raisons du rejet peuvent être futiles – ne pas être à la mode, par exemple : ce seul fait peut faire qu'on soit rejeté(e) d'un groupe et qu'on se retrouve seul(e). C'est la situation de Chloé ; elle a 9 ans et me dit sa tristesse.

Chloé la savante

Depuis la classe de CM1, Chloé n'a aucune amie. Le groupe le plus soudé de sa classe qui se retrouve à chaque récréation, pour jouer au foot, discuter et rire la rejette depuis toujours. Comme elle est bonne élève, les enfants lui attribuent le sobriquet de « Cosinus la savante ». Elle n'est jamais invitée aux fêtes et aux anniversaires : « C'est pour les nuls, pas pour une savante », s'entend-elle dire. Elle est partagée entre des sentiments contraires : elle n'a pas du tout envie de s'habiller « tendance » comme eux. Les tenues classiques qu'elle achète avec sa mère lui conviennent tout à fait. Elle n'aime pas du tout les groupes rock qu'affectionnent les élèves de sa classe. Et pourtant, à chaque fois qu'elle apprend que la majorité d'entre eux se retrouvent le mercredi ou le week-end, elle est triste. En même temps, elle est ambivalente. Sans les apprécier vraiment et tout en méprisant leurs goûts, cela ne lui déplairait pas d'être cooptée par le clan. Elle aurait ainsi le choix d'accepter ou de refuser, et plus le chagrin et l'humiliation d'être exclue. Au CP, elle avait une amie. Les parents ont déménagé dans un autre quartier de la ville. Au début, elles se rencontraient de temps en temps, se téléphonaient souvent. Et puis, les mères débordées ont de moins en moins volontiers accepté d'accompagner l'une chez l'autre. Et les contacts ont diminué. Chaque mercredi et pendant les vacances, elle se retrouve seule. Son plus jeune frère, de deux années son cadet, a beaucoup de copains. Elle s'entend bien avec l'un ou l'autre, mais ils ne sont pas vraiment des amis. Quelques mois après notre première rencontre, une nouvelle élève, Caroline, est arrivée dans sa classe. L'institutrice a demandé à Chloé de s'occuper d'elle. Caroline n'a pas été embrigadée dans le clan : c'est une chance pour Chloé. Elles deviendront amies.

Une solitude choisie

D'autres enfants se retrouvent seuls par choix : ce sont des enfants qui trouvent en eux-mêmes une grande sécurité ; l'intérêt qu'ils portent à toutes sortes de découvertes sur le monde qui les entoure semble remplacer avantageusement la compagnie des autres. C'est le cas de Michaël.

Michaël a 10 ans, il refuse depuis longtemps de se mêler au groupe de ses camarades. Depuis qu'il est au CP, il n'a qu'un seul ami à la fois et il lui reste fidèle – ce qui est réciproque. Cet enfant a tant de passions à transmettre ! Il s'intéresse à tout et sait le partager avec l'ami qu'il s'est choisi. En même temps, il cherche à se retrouver seul pour lire et passer du temps à jouer sur son ordinateur. Ces temps de solitude lui sont indispensables. Il est capable de quitter un copain sans le prévenir – ce qui déroute énormément ses camarades. Comme il invite rarement ses amis à la maison et insiste peu pour les garder longtemps auprès de lui, sa famille le décrit comme un solitaire.

Les parents s'inquiètent parfois quand un enfant est trop solitaire. Comment développera-t-il sa vie sociale ? Ne risque-t-il pas de devenir « ours » et rester célibataire ? Il est impossible de prévoir un avenir aussi lointain, mais j'ai l'habitude de dire aux parents qu'il y a peu de raisons de s'inquiéter lorsqu'un enfant témoigne, par ailleurs, d'une grande curiosité et d'un grand intérêt pour des sujets variés.

Pour bon nombre d'enfants, sensibles aux bruits, par exemple, à la trop grande vitalité des autres qui jouent au foot, qui prennent plaisir à la bagarre alors que eux sont hypersensibles aux bruits, aux mouvements trop brusques, et aiment les conversations tranquilles, l'entourage d'autres copains peut devenir trop pesant : l'enfant ne trouve pas sa place, se sent différent. Même si certains de ces garçons calmes deviennent plutôt amis avec des filles, cette recherche de solitude est valable pour les garçons comme pour les filles. Certaines filles, par exemple, ne s'intéressent pas plus aux discussions sur les vêtements et sur la mode qu'aux autres sujets de conversations entre filles qu'elles jugent trop futiles. Elles préfèrent rester seules (si elles sont filles uniques) ou avec leurs parents, leurs frères et sœurs à la maison pour lire, peindre, dessiner, regarder des DVD et la télévision.

La solitude à un moment n'augure pas d'une solitude « pour toujours ». L'enfant peut à un moment s'isoler pour se trouver lui-même, si l'entourage des copains ou des copines devient trop pesant, ou que l'on n'y trouve pas sa place parce qu'on se sent différent. Ce sont des passages qui ne durent pas.

L'ENFANT QU'ON A ÉTÉ N'AUGURE EN RIEN DE L'ADULTE QU'ON DEVIENDRA

Certains enfants sont particulièrement aptes à créer des liens avec leurs semblables et sont très actifs pour initier des activités communes. D'autres enfants plus réservés sont parfois qualifiés de « grands timides ». Les premiers peuvent devenir des adultes leaders, les seconds rester des personnes plus centrées sur leur vie intérieure.

Mais les circonstances de la vie, les histoires d'amitié, les histoires d'amour, les rencontres professionnelles ont une grande influence. Des métamorphoses peuvent survenir. Quel que soit son âge, il est impossible de prédire ce que deviendra un enfant à l'âge adulte.

Par les différents exemples et témoignages que j'ai apportés, nous avons pu voir combien rien n'est jamais figé. Les épreuves sont souvent formatrices. Tel qui a eu des problèmes de santé ou vécu des choses difficiles en famille peut construire de bonnes défenses pour affronter la vie ; tel autre trop comblé, « mis sous cloche » et préservé a parfois plus de mal à se confronter aux épreuves, à vivre les conflits ; tel autre timide, isolé, « mal dans sa peau » d'enfant, une fois devenu adulte, peut trouver une place sociale qui lui permet d'être apprécié et de découvrir de nouvelles relations. L'avenir n'est jamais prévisible...

IV

AMITIÉ ET AMOUR :
QUEL MODÈLE TRANSMETTONS-NOUS
À NOS ENFANTS ?

LA FAMILLE EN PLEINE MUTATION :
PETIT RETOUR HISTORIQUE

À une époque pas si lontaine, on considérait que l'amour dans les couples durait toute la vie. En effet, les couples n'étaient le plus souvent séparés que par la mort de l'un des deux conjoints. Il y avait continuité dans la relation. Aujourd'hui, on se pose beaucoup plus de questions car les partenaires sont moins stables. Leurs relations ne sont plus réglées par des codes, des rituels, des règles clairement édictées comme c'était le cas pour les générations qui nous ont précédées. Les réponses aux questions d'éducation étaient alors codifiées. Elles allaient de soi. Aujourd'hui, seules les personnes appartenant à de petites communautés régies par de strictes règles religieuses sont dans cette même situation. Les guerres, les conflits, les conditions économiques ont entraîné des migrations entre pays différents et dans un même pays entre les zones rurales et les villes. Celles-ci se sont accompagnées de ruptures au sein des petites et grandes communautés familiales. Le clan au sein duquel s'établissait la vie relationnelle des adultes et des enfants a été remplacé par la famille dite « nucléaire » formée des seuls deux parents avec leurs enfants. Les premières amitiés, les premières amours des enfants s'expérimentent aujourd'hui en des lieux et des espaces tout à fait différents de ceux qu'occupait la famille traditionnelle. Pour leur travail et pour leurs loisirs, les familles se déplacent, voyagent de plus en plus et les enfants sont amenés à rencontrer d'autres enfants issus d'autres modèles familiaux.

Depuis la deuxième moitié du vingtième siècle, l'évolution des mœurs, la vie des couples et des familles ont subi de grands bouleversements. Les divorces suivis de remariages ont augmenté considérablement. Les familles dites recomposées structurent la vie de nombreux enfants. En France, 50 % des nouveaux-nés sont conçus hors mariage. De nombreux parents, le plus souvent des mères, vivent seules avec un ou plusieurs enfants. Malgré tous les changements historiques et sociaux auxquels nous assistons, certains invariants existent pour le petit d'homme. À partir de ce constat, nous essaierons de répondre aux principales questions qui préoccupent les parents autour de la transmission et des apprentissages amoureux ou amicaux.

COMMENT SONT PERÇUES L'AMOUR
ET L'AMITIÉ DANS LA FAMILLE

La façon dont une mère, un père perçoivent l'amour et l'amitié est essentielle, elle fonde les premières représentations qui se transmettent à l'enfant. Si les deux parents considèrent leurs amitiés et leurs amours d'enfant comme faisant partie des moments précieux, bénéfiques et heureux de leur histoire, leurs premières réactions à l'égard de leur enfant, lorsque celui-ci découvrira à son tour l'amitié et l'amour, seront encourageantes. Si au contraire ces expériences sont vécues comme des situations à risque : risque d'échec, risque de souffrir, risque de se faire gruger... elles ne seront guère soutenues.

Marie-Paule ou comment l'idéal amoureux
se transmet de mère à fille

Marie-Paule s'est mariée à 22 ans, après un gros chagrin d'amour. Le jeune homme qu'elle avait aimé avec passion à 19 ans, pendant une année lorsqu'elle habitait Lille, était un étudiant anglais qui était parti aux États-Unis à la fin de ses études en France. Après un court échange de lettres, il ne lui a plus fait signe. Elle a fait un mariage de raison avec un homme qu'elle apprécie, mais dit n'avoir jamais vraiment aimé. Le couple mène une vie stable, apparemment heureuse. Ils ont un seul enfant : Mélanie. Marie-Paule garde la nostalgie de ce grand jeune homme aux cheveux roux, séduisant, sportif, spirituel et pince-sans-rire dont elle partageait l'humour. À chaque fois qu'elle feuillette avec sa fille Mélanie des revues de mode où figurent des hommes, sa fille remarque qu'elle s'attarde plus longuement sur les hommes sportifs, rieurs et... rouquins. Mélanie observe aussi combien sa mère s'épanouit ou rit aux éclats lorsque l'un ou l'autre invité divertit l'assemblée des convives par ses propos facétieux. Son père est un homme agréable, mais sourit rarement. En compagnie, il est très silencieux. Sa mère se plaint souvent de son manque d'humour. Au moment de son entrée en sixième, Mélanie tombe amoureuse de Georges, un garçon de sa classe avec qui elle partage des crises de fou rire lorsqu'ils se retrouvent sur le chemin de la classe et encore plus lors des sorties organisées. À chaque fois qu'elle le peut, elle se joint au groupe qui entoure Georges. Son amour reste secret car l'amour dit « officiel », c'est celui qui unit Georges à Martine, la fille la plus jolie et la plus brillante de la classe. À 25 ans, Mélanie épousera un homme qui plaît beaucoup à Marie-Paule, sa mère, moins spirituel que Georges, mais très sportif. Atout suprême : il a des cheveux d'un roux flamboyant...

Pierre-Yves ou comment une déception amoureuse se transmet de père en fils

Je rencontre Pierre-Yves lorsqu'il a 10 ans, pour ses fréquentes crises d'asthme et les difficultés respiratoires qui perturbent ses nuits. Il est sans ami, triste, solitaire. Son père, Jean-Jacques, est le benjamin *d'une fratrie de quatre. Quand il était enfant, ses parents tenaient ensemble un salon de coiffure. À leur grande surprise, Jean-Jacques obtint une bourse pour entrer dans un lycée parisien qui prépare aux grandes écoles. Pendant son séjour à la capitale, il tombe amoureux de Claire-Jeanne, une jeune fille qui a grandi et vit dans les beaux quartiers. Claire-Jeanne succombe au charme de ce garçon modeste, cultivé, si tendre et si candide. Jean-Jacques est fasciné par l'élégance, la beauté de Claire-Jeanne et la richesse de sa famille. Jean-Yves naîtra de cette union. Il sera souvent gardé, pendant ses premières années, par une tante maternelle. Très rapidement Jean-Jacques découvrira que Claire-Jeanne ne lui est pas fidèle et que la richesse de ses parents n'est pas aussi grande qu'il y paraît. Le grand-père de Jean-Yves, qui a un vague métier de financier, dépense l'argent de sa famille aux jeux de casino, en alcool et en voyages dispendieux. Jean-Jacques, qui a économisé sou après sou l'argent de ses études, en aidant ses parents au salon de coiffure pendant l'été, en donnant des cours pendant l'année, n'ose refuser à Claire-Jeanne les emprunts d'argent successifs qu'elle lui fait. Claire-Jeanne le quitte après trois années de vie commune. Elle laisse Jean-Jacques financièrement démuni. Abandonnant son fils à son compagnon, elle part en Italie avec un ancien ami banquier et donne très rarement de ses nouvelles. Après quelques années de célibat, lorsque Jean-Yves a 7 ans, Jean-Jacques épouse Naïma, une jeune étudiante d'origine maghrébine dont il dirige la maîtrise de littérature. Ils auront ensemble deux enfants.*

Pierre-Yves est un garçon au corps gracile, au visage très fin, qui m'étonne par sa maturité et son langage raffiné. Son père dit qu'il a les mêmes yeux et le même regard charmeur que sa mère. Il parle comme dans un livre, disent de lui ses compagnons de classe qui lui ont donné le surnom de « Socrate ». Lors de nos rencontres motivées par sa maladie, ce que nous découvrons ensemble avec l'enfant, son père et sa belle-mère avec laquelle il s'entend tout à fait bien, ce sont les moqueries qu'il subit de ses camarades. Celles-ci augmentent ses craintes de s'approcher d'eux. En ma présence, Pierre-Yves ose enfin dire combien il est triste de ne pas connaître sa mère. Nous découvrons ensemble les doutes que son père lui a transmis sur l'amour et l'amitié, surtout de la part de personnes fortunées. Ce qui se révèle peu à peu, ce sont les jugements parfois clairement dits, mais le plus souvent implicites de son père. Celui-ci exclut de ses fréquentations les notables de la capitale universitaire où il est enseignant et chercheur. Il se méfie des personnes fortunées, de leur cupidité, de leur infidélité en amitié et en amour. Il en discute souvent avec sa femme en présence de son fils. Il se sent bien dans la famille de son épouse née en Algérie. Les parents de celle-ci vivent en HLM. La mère de Naïma est femme au foyer, le père employé de bureau à la mairie. Par son réseau associatif où il intervient en bénévole, Jean-Jacques fréquente essentiellement des personnes qui consacrent leur vie aux plus démunis. « Méfie-toi des femmes, surtout lorsqu'elles sont bourgeoises et riches en apparence » est le message qui se transmet sans se dire, dans les échanges entre père et fils. Lorsqu'un père induit par ses comportements et ses paroles une telle méfiance, comment un jeune enfant peut-il se sentir en confiance auprès d'enfants issus d'un milieu aisé et développer avec eux des liens d'amitié et d'amour ?

Pierre-Yves contemple souvent en secret la photographie de sa mère qu'il a dérobée dans un album. Peu à peu, Jean-Jacques réalise combien son fils est attaché à cette mère, serait-elle issue de cette *bourgeoisie riche dont il médit tant. Il prend conscience du fait que ses jugements généralisateurs concernent surtout le grand-père maternel de Pierre-Yves. Il réalise aussi combien il a été déçu par cette femme qu'il a beaucoup aimée et à laquelle son fils ressemble tant.*

Pierre-Yves tentera quelques années plus tard, à l'âge adulte, de renouer avec sa famille maternelle et découvrira que tous n'étaient pas des personnes indignes d'être aimées. Il créera des relations privi-légiées avec deux cousines germaines. Sa vie affective en sera plus douce et plus légère.

Comment parle-t-on des hommes et des femmes dans la famille ?

Suzanne ou la méfiance vis-à-vis du sexe fort

Suzanne a été éduquée dans une famille chrétienne où les relations sexuelles n'étaient pas tolérées avant le mariage. S'affranchissant avec culpabilité de la morale familiale, elle a vécu, à 20 ans puis à 30 ans, deux rencontres passionnelles où elle s'est « donnée corps et âme » avant d'être quittée par chacun des deux hommes. Une IVG a précédé sa première rupture à l'âge de 25 ans. À 33 ans, avec l'accord enthou-siaste de ses parents, elle se marie avec un homme qui respecte les valeurs chrétiennes de sa famille, étant lui-même pratiquant. Ils auront quatre filles. Marinette est la fille aînée. Dès que Coralie approche de ses 8 ans et que Suzanne la voit revenir de classe avec l'un ou l'autre copain de son âge, elle la met en garde contre les garçons et lui explique les risques qu'elle court à se laisser avoir par eux. Alors que Coralie joue à « saute-mouton » dans le jardin avec deux garçons fils d'amis de la famille, Suzanne s'approche brusquement d'eux et aux enfants interloqués intime l'ordre de cesser ces jeux de trop grande proximité. Quelques mois plus tard, alors que les filles aînées regardent à la télévision un film d'aventures conseillé par l'institutrice, Suzanne ne peut s'empêcher de faire une nouvelle sortie hors de propos sur la méfiance qu'on se doit d'avoir à l'égard des garçons. Quelque temps plus tard, Coralie l'interroge sur l'amour. Suzanne lui propose des livres d'éducation sexuelle, l'informe sur l'anatomie et la physiologie et en même temps la prévient : « Les garçons, les hommes ne pensent qu'à ça, qu'au sexe. Et une fois que tu leur as cédé, ils t'abandonnent. » Il faut d'abord penser à se marier et ensuite avoir des enfants. Autrement dit : les hommes sont tout juste bons comme géniteurs... Coralie aura longtemps du mal à s'approcher des garçons. Jusqu'à l'âge de 22 ans, elle refuse tout flirt, s'éloigne en tremblant de chaque prétendant, encore plus lorsqu'elle sent pour l'un ou l'autre une trop grande attirance. Elle se demande si elle est sexuellement normale. En séjour d'études au Danemark, alors qu'elle a 23 ans, elle rencontre Daniel, un homme plus âgé qu'elle, à qui elle confie ses doutes et son désarroi. Il la rassure et l'approche avec grande douceur. La crainte de Coralie disparaît. Elle cède au désir de Daniel. Leur relation sera plus amicale que vraiment amoureuse. C'est à son retour en France que Coralie vivra sa première histoire d'amour.

Sa sœur, plus jeune d'une année, qui a reçu les mêmes messages maternels, ne réagit pas de la même façon. Intriguée par les propos

> *de sa mère, curieuse peut-être de vérifier la justesse de ses paroles, elle a une attitude provocante et passe d'un amoureux à un autre. À 18 ans, elle quitte la maison pour vivre avec un garçon de son âge qu'elle quittera après trois années pour un deuxième, avant de se marier avec un troisième.*

On peut être autant marqué par une méfiance maternelle vis-à-vis des hommes que par des discours paternels dévalorisant les femmes. Certains préjugés ont la vie dure... On peut entendre du côté des hommes des propos comme « Elles jouent de leurs attraits pour mieux vous attraper » ou, au contraire, « Elles vous tentent, vous attirent, et tout ça pour ne rien vous accorder », « Ce sont des saintes nitouches », « Elles jouent aux princesses et se croient supérieures aux garçons », « "Mon corps m'appartient" » : c'est ce qu'elles ne cessent de répéter. « Elles sont devenues trop intelligentes et ne pensent qu'à leur réussite professionnelle. Il faudrait réapprendre à les dominer », disent certains pères.

PAR QUELLES VOIES PASSENT LES TRANSMISSIONS ?

Par les paroles certes, et pas seulement celles qui sont adressées directement aux enfants. Nous savons combien les enfants sont intéressés par les conversations entre adultes et en captent plus ou moins bien le sens. Certains sont plus curieux et aussi plus sensibles. D'autres plus indifférents.

Les parents, bien entendu, ne peuvent surveiller ou censurer chacune de leurs paroles, chacune de leurs conversations en famille ou entre amis. Mais il est toujours intéressant de s'interroger sur soi-même, sur son idéal d'amour et d'amitié en tant qu'homme ou que femme, sur les préjugés dont on a soi-même hérité et qui peuvent avoir été transmis de génération en génération.

« Quel est mon idéal amoureux ? Suis-je un(e) sentimental(e) ? Suis-je fidèle en amour, en amitié ? Est-ce que les amis, ça compte ? Quel(le) amoureux(euse) ou quel(le) ami(e) suis-je ? »

Ces questionnements sont utiles non seulement vis-à-vis de nos propres enfants mais aussi pour mieux nous connaître nous-mêmes, dans nos propres amitiés, notre propre vie amoureuse et notre vie de couple.

— Les parents de Stéphanie se sont connus et mariés sans passion par les petites annonces du *Chasseur français*. Stéphanie a « consommé » beaucoup d'hommes dans sa vie, se disant toujours que, quand il n'y avait plus de passion, elle ne supportait plus la relation. Il y avait peut-être un lien très fort entre sa passion de la passion et le mariage sans passion de ses parents qui, avant de se rencontrer, avaient chacun vécu un grand amour mais s'étaient retrouvés veufs l'un et l'autre.

– Colette a toujours dénigré le couple formé par son père et sa mère, persuadée que l'amour n'était pas au rendez-vous de cette union-là. Elle s'est mariée, a été très amoureuse. Son mari l'a quittée et elle ne s'en est jamais remise ; c'est comme si son rêve d'amour se brisait à l'épreuve de la réalité. Elle ne pourrait donc jamais réparer le couple parental.

– Élisa, dès son enfance, multiplie les amitiés passionnées et passionnelles, très vite suivies de grandes déceptions. Sa mère est une femme qui a beaucoup d'amis avec lesquels elle est très généreuse. Alors qu'elle reçoit autant qu'elle donne, son mari lui reproche sa trop grande confiance. Il en sait quelque chose, lui qui a été grugé par son meilleur ami, quand il était jeune. Élisa reproduit-elle, sans s'en apercevoir, la méfiance paternelle ?

La transmission implicite

Il faut savoir qu'en dépit de toutes les transformations apparentes, si elle existe certes, la liberté n'est toutefois pas si grande de modifier ou de garder ce que l'on a reçu de ses propres parents. Que l'on s'oppose à la génération précédente ou qu'on la reproduise de façon plus ou moins consciente, chaque famille continue à s'inscrire dans les modèles transgénérationnels et poursuit sa propre histoire, ce qui est tout à fait heureux. Les grands-parents qui ont offert les premiers modèles n'ont heureusement pas disparu des liens symboliques qui structurent la nouvelle génération. L'histoire humaine évolue, se transforme, mais ne s'efface pas. De façon inconsciente, les parents, individuellement comme dans leur relation de couple parental, continuent à transmettre un bon nombre de ces valeurs et de ces modèles des temps passés. Ils les transmettent consciemment ou inconsciemment par leur comportement et par leurs exigences vis-à-vis de leurs enfants. Ceci signifie que, lorsque leurs enfants vont à la rencontre des autres, ils mettent certes en œuvre des modes relationnels qui sont dictés par les injonctions de leurs parents, mais qu'ils s'inspirent tout autant de ce qu'ils ont perçu de façon implicite au sein de leurs familles. Les enfants ont en effet une image de leurs parents qu'ils construisent à partir des faits et gestes de ces derniers, de leurs paroles et de leurs façons de se comporter les uns avec les autres. Tout autant que par les injonctions et les préceptes éducatifs, les parents adressent à leurs enfants des modèles inconscients de comportement qui ont autant de poids que ce qu'ils désirent transmettre de façon volontaire. Il y a toujours l'éducation que l'on donne et celle que l'on transmet à son insu. Il n'échappera pas à l'enfant, par exemple, que l'adulte ne fait pas toujours ce qu'il dit. Il faut être conscient que nous ne transmettons pas seulement des paroles : ce que l'on est compte autant, sinon plus, que ce que l'on dit. Par exemple, une mère ou un père qui multiplient les aventures amoureuses peuvent donner une éducation très puritaine, très stricte à leurs enfants. En insistant sur les dangers de rencontres amoureuses trop précoces, ils peuvent interdire toute fréquentation entre garçon et fille... Les enfants n'ignorent pas les aventures que vivent leurs parents et peuvent s'interroger. Les interdits posés par leurs parents peuvent les surprendre. Souvent ils se taisent et ne s'autorisent pas même à en parler entre frères et sœurs.

Les bouquets d'Irène

Irène, une très jolie maman de 35 ans, ne cesse de recevoir d'immenses bouquets de fleurs qui décorent le salon familial. De temps en temps, elle oublie d'ôter la carte de visite du généreux donateur. Au fil des années, les envoyeurs de bouquets ne sont pas les mêmes personnes. Lorsqu'il atteint 11 ans, son fils ose enfin l'interroger sur la raison de l'envoi de ces fleurs. Sa réponse ne varie pas : « Cet

> *homme est follement amoureux de moi, mais vraiment à moi il ne me plaît pas : c'est un idiot qui s'imagine qu'il va me séduire avec ses fleurs. »* Franck, le mari d'Irène, ne cesse de faire les yeux doux à toutes les jeunes femmes qui sont invitées à dîner chez lui, seules ou avec leurs maris. Pas plus avec son père qu'avec sa mère, le fils n'est dupe et il observe avec intérêt le manège de ses parents.

Les enfants remarquent tout à fait bien les attirances qui peuvent se manifester entre adultes et comprennent confusément ce qu'on cherche tant à leur cacher. Ils perçoivent l'incohérence des comportements adultes et peuvent en être choqués. S'ils ont dans leur entourage une personne adulte ou un(e) ami(e) intime à qui ils osent se confier, c'est une chance. Mais le tabou des relations sexuelles reste grand et les enfants ont parfois honte du comportement de leurs parents. C'est souvent à l'âge adulte qu'ils oseront en parler. Certains, très intéressés et très perplexes, tenteront de multiplier eux aussi les petites aventures sentimentales. Et on comprend pourquoi ceux-ci deviennent très tôt, dans un but expérimental, des petits « don Juan » masculins ou féminins. D'autres, au contraire, seront extrêmement prudes et rigoristes, voire moralisateurs vis-à-vis de leurs camarades. Ils refuseront toute sexualité, la leur comme celle de leurs copains/copines.

À l'inverse, des parents très inhibés peuvent transmettre leur inhibition à leurs enfants, malgré leurs efforts pour que ces derniers soient plus libres et plus à l'aise dans ce domaine. Ce sont parfois des ami(e)s plus libéré(e)s qui peuvent venir en aide et permettre à ces enfants d'oser approcher des camarades de l'autre sexe. On voit là combien les amitiés entre enfants peuvent jouer un rôle tout à fait important pour échapper au modèle familial. Les configurations sont, comme on le voit, très variables. Chaque situation est différente et ne peut être généralisée. Les enfants sont certes influencés par leur famille, mais n'évoluent pas obligatoirement en réaction au comportement parental. Ce qui est valable dans le domaine des relations amoureuses l'est aussi en amitié.

LES TOUT PREMIERS MODÈLES RELATIONNELS

Il est important d'apprendre aux enfants comment se manifestent, dans l'amitié et l'amour, l'art de témoigner son affection et le respect dû à tout un chacun... Il est important, par exemple, d'insister sur la nécessité de ne pas infliger à un(e) ami(e) des blessures par un changement brutal d'humeur à son égard. Il est important aussi d'indiquer combien l'attention à l'autre se manifeste par des paroles, des signes, des gestes, des objets, des cadeaux qui correspondent à ses goûts : tel livre dont nous savons qu'il/elle appréciera la lecture, telle invitation à venir rejoindre le groupe des copains, tel service rendu, tel geste d'attention qu'on saura anticiper, telle prévenance lorsque l'ami(e) vit une situation difficile. Tous ces conseils, ces paroles sont tout à fait utiles, mais n'auront jamais la même importance que les modèles que l'on transmet implicitement. Les propres comportements des parents dans leurs familles, avec leurs conjoints, avec leurs amis comme avec leurs propres enfants ont un rôle central car ils offrent aux enfants leurs tout premiers modèles relationnels. Lorsque, par exemple, le mépris de l'autre en gestes et en paroles domine dans les relations entre adultes ou avec les enfants, ce modèle de non-respect de l'autre risque fort d'influencer de façon négative les relations que l'enfant entretiendra avec ses semblables. Lorsque, au contraire, c'est l'attention au conjoint, le respect à l'égard des enfants, des amis de l'enfant et de la famille qui dominent, l'enfant deviendra très probablement plus attentif à ses semblables et encore plus à ceux pour lesquels il éprouve de l'amour ou de l'amitié. Les parents doivent savoir que, même lorsque la situation est conflictuelle et qu'elle mène à une séparation, à un divorce, ce respect de l'autre fournit un modèle essentiel à l'enfant et doit donc se manifester en dépit de tous les griefs. Même si cela exige un certain effort, il est

160

tout à fait essentiel de maintenir une relation respectueuse avec une personne qui fut aimée, avec qui l'on a partagé une partie de sa vie, ne serait-ce que sur une période courte. Pour l'enfant né de cette union, il est indispensable de faire taire la haine et les ressentiments qui peuvent alors remplacer l'amour. Même si les liens affectifs n'existent plus, le message à transmettre doit rester respectueux de cette relation passée. Car c'est grâce à cela que l'enfant sera apte à construire sa propre vie, à établir ses propres relations avec une plus grande sécurité affective. La qualité des relations entre les adultes, lorsque les enfants traversent les périodes qui préparent aux stades de l'autonomie affective, est essentielle. Le respect d'autrui, dont le premier apprentissage s'est fait au sein des relations familiales, est un modèle pour les relations d'amitié ou d'amour ultérieures.

AU-DELÀ DES BONNES MANIÈRES

Ce qui importe le plus, ce sont les relations des personnes au sein même de la famille. Tous les beaux discours sur l'amitié auront peu d'impact si les marques d'irrespect, de discourtoisie dominent dans les relations aussi bien entre les époux qu'avec les enfants. Dans cer-

taines familles très policées où sont prônées superficielle-
ment les « bonnes manières », l'irrespect, le mépris,
l'hostilité qui se cachent en profondeur derrière une
grande, trop grande politesse risquent d'imprégner plus
les enfants. Ils seront plus influencés, dans leurs relations
avec les autres adultes et enfants, par ce ressenti profond
que par des marques extérieures de politesse. Par exemple, des familles qui paraissent très policées (« On ne
parle pas la bouche pleine, on se tient droit à table, etc. »)
et qui en réalité ont peu de délicatesse dans leurs sentiments et peu de respect les uns pour les autres transmettent plus l'irrespect ou la fermeture sur soi que le souci
de l'autre. Chez les uns, la moindre tache sur la nappe,
la bouche mal essuyée donnent lieu à de longs discours
moralisateurs. Le père est silencieux, il ne dit pas un mot
lorsque son épouse tient des propos médisants sur la plupart des personnes, alliées à la famille, adultes ou
enfants. Un tel est paresseux, tel autre est un profiteur,
tel autre est un menteur ; leurs enfants sont mal élevés,
sans gêne, bruyants. Dans d'autres familles, au contraire,
où l'on se tient plutôt mal à table sans subir de remontrances et où les « vérités » se disent parfois de façon un
peu abrupte, ce sont l'attention à autrui et les sentiments
d'amour très forts qui existent entre les uns et les autres
qui marqueront les enfants dans leurs relations affectives.
Dans la famille Dupont-Durand... on crie fort pour affirmer

son opinion, on se dispute souvent sur les goûts et les couleurs. La famille est « recomposée » et des conflits bruyants sont fréquents entre les enfants issus des premières unions et, lorsqu'ils sont plus âgés, avec ceux qui sont nés des nouveaux couples. Les injures fusent. Ils se « traitent » parfois de tous les noms. En réalité, les couples anciens et nouveaux ont réussi à s'entendre pour régler le mieux possible, dans le respect de chacun, leurs modes de vie différents. Bien entendu, ils traversent quelques crises, mais celles-ci finissent par se résoudre. Tous les enfants s'accordent pour dire aux témoins extérieurs parfois scandalisés leur bonheur d'appartenir à des familles aussi aimantes et vivantes.

L'enfant ne se trompe pas sur ce qu'il perçoit et la moindre incohérence de l'adulte sera relevée et parfois commentée sans aménité. Je pense à ce récit que m'avait fait une femme sur ce qu'elle avait observé chez sa mère. Celle-ci se précipitait sur ses mouchoirs pour s'essuyer les mains et les joues après chaque visite d'amies dont elle avait serré les mains ou avec qui elle s'était embrassée. Le contact avec autrui présentait pour cette femme un apparent danger. Or, elle ne cessait par ailleurs de critiquer sa fille qui, à son avis, n'avait pas assez d'amies...

LES COMPORTEMENTS INCOHÉRENTS DANS L'ÉDUCATION : « FAIS CE QUE JE DIS MAIS PAS CE QUE JE FAIS »

Il est important de savoir qu'entre les êtres humains tout ne se contrôle pas, notamment les émotions inconscientes. Dans mon travail de psychothérapeute d'enfants, j'ai pu observer combien l'enfant pris dans les paroles de ses parents, dans leurs paradoxes peut en ressentir un malaise qui s'exprimera par des symptômes. J'ai ainsi reçu quelques enfants grandement inhibés dans leurs relations, alors que leurs parents menaient une vie en apparence tout à fait harmonieuse, entourés de nombreux amis. Aurélie, par exemple, était une petite fille de 9 ans, vive, intelligente, excellente en classe et qui montrait une forte inventivité dans toutes les activités artistiques. Elle participait intensément au club de théâtre de l'école et s'y faisait de nombreuses amies. Progressivement elle était devenue triste et s'isolait de plus en plus des enfants de sa classe. Ce fut la raison pour laquelle sa mère est venue me consulter. Ce fut très long d'instaurer une relation avec Aurélie. Celle-ci ne désirait pas rester seule avec moi, elle insistait pour que sa mère reste présente aux entretiens. Après une dizaine de rencontres, la maman m'avoua qu'Aurélie perdait ses amies les unes après les autres car elle manifestait à leur égard une grande agressivité en gestes et en paroles. Étonnamment, dans cette famille qui paraissait si douce et si bien élevée, Aurélie manifestait ses désaccords, tant avec son frère qu'avec ses amies, en employant un vocabulaire grossier. Au cours d'un entretien en tête-à-tête avec sa mère, celle-ci me décrivit les scènes de violence qui se déroulaient (même en présence des enfants) dans la famille. Depuis quelques années, le père d'Aurélie, qui était un architecte renommé dans sa ville, était de plus en plus souvent absent du foyer, manifestait un manque total de respect et une grande agressivité à l'égard de son épouse. Il était en même temps d'une très grande exigence vis-à-vis de ses enfants. La moindre entorse aux règles de politesse était relevée et réprimée en des termes dévalorisants. Aucune personne de la famille – et encore moins les amis – n'était au courant de cette situation ; j'étais la première à qui la mère d'Aurélie avait osé se confier. Ces premiers échanges ont permis à la mère et à sa fille de se parler et à Aurélie de poser les questions qui lui « brûlaient les lèvres ». Après avoir exigé de son père qu'il s'applique à lui-même les règles de politesse qu'il exigeait des autres, Aurélie a progressivement abandonné son attitude et ses paroles agressives. Un séjour en pension lui a permis de s'éloigner des conflits et des non-dit ou plutôt des « mal-dit » familiaux. Elle a ainsi retrouvé sa capacité à construire de nouvelles amitiés.

L'exemple d'Aurélie nous montre bien les effets induits par ces attitudes paradoxales : « Fais ce que je dis, mais pas ce que je fais. » Ces effets deviennent majeurs à partir de 7-8 ans, à l'âge où l'enfant commence à mieux décrypter la réalité familiale. C'est ainsi que peuvent se mettre en place des attitudes provocatrices ou, au contraire, des inhibitions à interpréter comme des interrogations et des remises en question des comportements parentaux. Aurélie, par exemple, par ses comportements agressifs et parfois grossiers avec les enfants de sa classe, n'interrogeait-elle pas la grossièreté de son père que celui-ci cachait si bien aux personnes extérieures à la famille ?

Martin, 9 ans, était, quant à lui, totalement inhibé dans ses relations avec les garçons et les filles. Son père ne cessait d'amener ses petites amies à la maison et faire pleurer son épouse. Martin n'interrogeait-il pas par sa timidité excessive l'absence d'inhibition de son père à l'égard des femmes et son indifférence aux émotions de son épouse et de ses enfants ?

Un travail de psychothérapie peut permettre, dans nombre de ces situations, en des lieux où chacun peut s'exprimer et prendre la parole, qu'au fil des séances parent(s) et enfant(s) dénouent les nœuds relationnels qui se sont mis en place.

LA CRAINTE DE LA RÉPÉTITION

Beaucoup de parents sont terrorisés à l'idée de répéter avec leurs enfants ce qu'eux-mêmes ont vécu avec leurs propres parents. Ils désirent tant réparer leur propre enfance et faire mieux avec leurs enfants que leurs propres parents ont fait avec eux ! Il est tout à fait probable que chacun de nous répète, de façon plus ou moins inconsciente, par ses gestes et ses mimiques, ce dont il veut à tout prix se préserver et préserver ses enfants. Or, nos enfants nous observent et perçoivent ces craintes, ces zones fragiles, sans en connaître toutefois l'origine. Leurs comportements peuvent être interprétés comme de la provocation, alors qu'il s'agit souvent (comme nous l'a montré l'exemple d'Aurélie) de questionner une attitude qu'ils ne comprennent pas ou une histoire familiale compliquée. Chaque enfant se débrouille à sa façon avec ses problématiques maternelles ou paternelles, afin de trouver au mieux sa propre place dans sa famille. Par exemple, une mère qui a souffert de solitude dans son enfance, qui s'est sentie exclue par les autres rêve que son enfant ne vive pas la même situation. Et voici que son fils ou sa fille commence à se plaindre de solitude et en est tout à fait triste. Lorsque, dans une telle situation, la mère peut parler de sa propre enfance à une personne tierce et, si possible, en présence de son enfant, celui-ci peut être soulagé de ce qu'il entend ; des mots sont mis sur ce qu'il a perçu de façon confuse sans être capable de le formuler. Une fois qu'elle est parlée, la situation devient plus claire pour lui, il écoute les souvenirs de sa mère et ce qu'elle raconte fait écho en lui, au lieu de demeurer un poids impossible à porter. Il peut arriver alors qu'il sorte de son isolement et de ce sentiment d'être exclu par les autres, si ce malaise s'est traduit par une grande solitude. Mais cette issue n'est pas la seule : il peut aussi vivre sa solitude sans plus en éprouver de chagrin et afficher tout à fait sciemment ce goût d'être seul comme un trait de sa propre personnalité et non comme un héritage de sa mère ou de son père. Au fil du temps, il va peu à peu fabriquer sa propre personnalité, sa propre identité plus ou moins sociable ou plus ou moins solitaire.

Blandine a vécu un grand amour malheureux dans sa jeunesse. Elle s'est mariée pour avoir des enfants et n'a cessé de penser à son premier amour. Elle ne cesse de se plaindre de la médiocrité de sa vie avec son mari. Elle n'a pas transmis à Cécile la nostalgie de son amour perdu. Cécile a toujours eu beaucoup de bon sens et les pieds bien sur terre. À 9 ans, elle a beaucoup d'ami(e)s et un amoureux. Elle trouve que sa mère exagère. Elle sait que le Prince Charmant ça n'existe pas et que son père qu'elle adore est un homme qui mérite qu'on l'aime. Sa mère pourrait bien faire un effort pour apprécier ses qualités.

Céline, au contraire, est très touchée par la tristesse d'une mère qui elle aussi ne cesse de penser à son premier amour. Entre 7 et 13 ans, elle se coupe de toute vie sociale. Dès que la classe est terminée, elle refuse toutes les invitations et se précipite à la maison pour tenter de consoler sa mère. Après quelques épisodes qui alternent entre grande solitude et une vie sentimentale chaotique, elle deviendra psychologue...

LE COMPORTEMENT SOCIAL DES PARENTS : UN MODÈLE À IMITER ?

Certaines familles ont des modes de vie qui favorisent les amitiés avec autrui. Elles ont porte et table ouvertes. Beaucoup d'adultes racontent les souvenirs qui les ont marqués lorsque, enfants, ils recevaient ou étaient reçus dans des familles qui vivaient dans des maisons animées, bruyantes certes, mais tellement accueillantes, où il était si agréable de passer de longs moments de jeux complices en dehors du regard scrutateur des parents ou même en leur présence.

D'autres familles ont un fonctionnement qui reste centré sur leurs proches. Elles préservent leur intimité et sont plus refermées sur elles-mêmes. Elles n'aiment pas que leurs enfants invitent leurs copains ou copines car elles redoutent le désordre et le bruit ou encore elles estiment que les liens qui existent au sein de la famille suffisent à leur sociabilité. Elles peuvent également avoir le désir de garder le contrôle sur leurs activités. Ce désir abusif s'explique aujourd'hui quand les parents travaillent tous les deux : ils n'ont aucune possibilité de contrôler ce qui se passe chez eux en leur absence. On ne saurait trop répéter que faire confiance à l'enfant est toujours la meilleure attitude à adopter.

Le modèle parental est surtout là pour être interrogé, dans l'imitation ou l'opposition. Un mode de fonctionnement familial ouvert sur l'extérieur et accueillant vis-à-vis des camarades favorisera *a priori* la sociabilité des enfants ; à l'inverse, un comportement plus replié sur le microcosme familial risque de limiter les fréquentations. Mais une maison offerte à un va-et-vient incessant de visiteurs, sans possibilité de s'isoler, peut inciter l'enfant à rechercher la solitude pour se retrouver.

Comment savoir vraiment quelle influence auront nos façons d'être avec notre prochain sur les comportements sociaux de nos enfants ? La qualité des amitiés qu'ils noueront ne dépend pas que de nous mais ce qui est sûr, c'est que la qualité des relations qui se vivent entre les personnes de la famille est déterminante pour construire leur vie affective. Par ailleurs, au sein d'un groupe d'enfants, les possibilités de se trouver des amis ne dépendent pas seulement de l'hospitalité parentale : les enfants sont aptes à nouer des relations par eux-mêmes. Il est rare aussi qu'un enfant ne découvre pas, chez l'un ou l'autre copain, une maison accueillante.

LA VÉRITÉ DES SENTIMENTS DOIT TOUJOURS L'EMPORTER

Ce qui importe, c'est qu'existe au sein de la famille un espace de parole pour que se disent les émotions, les colères, les disputes qui éclatent entre les uns et les autres et – pourquoi pas ? – lorsque les enfants sont plus grands, que puissent s'expliciter les aversions plus ou moins temporaires… Il est important d'indiquer que les sentiments ne sont jamais définitifs, jamais irréversibles. Entre les adultes, comme entre les enfants, les émotions font partie intégrante du « climat » et du « paysage » relationnel. Le calme permanent n'existe pas : orages et tempêtes émaillent notre existence et font que les relations restent bien vivantes. À n'importe quel moment, des paroles doivent témoigner de ces événements perturbateurs propres à toute relation, qu'elle soit familiale ou amicale ; la vérité des sentiments est la voie vers laquelle il faut toujours tendre. Bien entendu, il nous faut réfléchir aux termes que nous employons pour décrire nos propres comportements et nos propres émotions, prendre conscience de l'influence de nos paroles et de nos gestes sur la sensibilité de nos enfants. Ainsi, certaines crises au sein du couple parental peuvent être considérées comme des histoires de « grands » qui ne regardent que les adultes, mais on se rend vite compte qu'il n'en est rien, comme en témoigne le cas de la petite Solange, âgée de 8 ans, que je soignais depuis sa naissance. Un changement brutal est survenu dans son comportement. L'institutrice en avait alerté la mère. Solange était une enfant très sociable et très entourée dans la cour de récréation. Elle avait, par ailleurs, dans sa classe, une amie très chère, dont elle s'est éloignée progressivement, et a fini aussi par s'isoler de plus en plus des autres enfants. La mère me décrivit la situation familiale. Le père de Solange avait brutalement perdu son emploi de gérant de magasin. Il vivait très mal cette situation et passait des heures devant les écrans de son ordinateur ou de la télévision. Alors que les relations du couple étaient auparavant tout à fait paisibles, les disputes ont commencé à émailler la vie de la famille. La mère tenait sur son mari des propos très méprisants. Il fut question de divorce. Lorsque, après une année, le père retrouva un travail, les relations dans le couple furent à nouveau plus courtoises et plus paisibles. Petit à petit Solange se rapprocha de son amie. Elle put enfin dire à sa mère combien la honte de cette situation l'avait isolée et éloignée de sa meilleure amie. Les paroles irrespectueuses qui dévalorisaient son père augmentaient cette honte car elle partageait avec lui une très grande complicité. Les parents n'avaient pas pris conscience des sentiments de leur fille et ne pouvaient imaginer que la violence de leur relation avait eu des retentissements sur sa vie affective à elle.

L'APPRENTISSAGE DE LA PUDEUR

C'est aussi avec notre corps, et pas seulement avec des mots, que nous approchons l'autre ; il y a donc du sexuel dans toute relation puisque notre corps est sexué. On peut entrer en relation avec douceur et dans le respect d'autrui ou avec violence, en enfreignant son espace intime, celui qu'il tient à l'écart du regard de l'autre. Les enfants, souvent témoins privilégiés des relations que les adultes entretiennent entre eux, sont très sensibles à ces différents modes d'approche. Nous avons aussi vu, au chapitre I, que les enfants perçoivent très tôt la différence des sexes et ce qu'il en est de leur propre sexualité. Même

173

si l'intimité ne répond pas aux mêmes critères d'une culture à une autre, la respecter est essentiel. Ce respect concerne toutes les attitudes corporelles, en particulier celles qui sont relatives aux zones sexuelles. Dans les familles nordiques, exposer sa nudité est certes courant au quotidien, mais cette coutume propre à ces pays ne se transpose pas automatiquement dans une autre culture. En France et dans les pays méditerranéens (excepté en certaines circonstances comme au hammam), il n'est pas d'usage que les parents circulent nus à l'intérieur de leur maison ou appartement. Très tôt et surtout à l'âge où l'enfant découvre la sexualité, les parents ne doivent pas montrer leur sexe à leurs enfants et encore moins aux enfants amis qui sont en visite. Ce sont les enfants eux-mêmes qui, à partir de l'âge de 4 ou 5 ans, exigent ce respect de leur propre intimité. Ceci est d'une grande importance pour la construction de l'identité sexuelle et surtout pour que soit reconnue la différence entre les générations : si la nudité est normale entre les parents, à partir d'un certain âge parents et enfants n'ont plus à se montrer nus les uns aux autres. Pour se construire et pour construire ses relations à autrui, il est essentiel que chaque enfant se repère dans ces diffé-rences.

En dépit d'une sorte d'exhibitionnisme à tout crin dans la presse et la publicité, le tabou sexuel qui existe entre adultes et enfants avec les interdictions qui lui sont liées est bien présent dans notre culture. Les parents doivent transmettre ces interdits à leurs enfants pour leur permettre de s'inscrire dans la différence des sexes et l'ordre des générations. Dès le plus jeune âge, il est également tout à fait important de nommer les zones sexuelles encore trop souvent dites « honteuses », afin que, justement, elles soient respectables et non plus objets de honte.

Un vocabulaire riche pour désigner le sexe

Aujourd'hui, dans bien des familles existe une liberté de parole qui ne met pas un tabou sur le sexe : on a des mots, beaucoup de mots, pour en parler en famille, qui permettent aux enfants très probablement de mieux aborder leur sexualité future.

Les mots qui désignent le sexe sont extrêmement nombreux et varient d'une famille à une autre. Si l'on veut transmettre à un enfant le fait que le sexe, ce n'est pas honteux, il est essentiel que le vocabulaire utilisé pour parler de ces choses manifeste aussi le respect et ne tombe pas dans la pornographie. Lors de plusieurs de mes rencontres avec des familles, j'ai fait une liste des « petits » mots utilisés pour nommer le sexe, au moment de la toilette ou des soins du corps. Voici un petit échantillonnage de ce qui m'a été transmis (avec force rires et sourires !) pour le sexe féminin : *la Juliette, la Rose, la zézette, la nénette, la lune, le kiki, le petit chat.* Pour le sexe masculin : on parle de *pénis* dans les familles de soignants qui connaissent l'anatomie, du *zizi*, du *curli*, du *petit oiseau*, du *petit robinet*, en Alsace on parle du *schpetzle* (à partir du vocabulaire culinaire : les « schpetzelès » qui sont des nouilles préparées à la maison avec une pâte à base d'œufs, de farine et d'eau)... nomination plus récente probablement d'influence arabe : *le zgeg, le zboub.* Chacun peut s'amuser à cet inventaire dans son entourage. Montrer la richesse de ce vocabulaire, en apprenant aux enfants à bien choisir leurs mots dans leurs échanges entre eux, est peut-être un moyen de faire leur éduca-tion dans ce domaine et de les amener à ne plus consi-dérer les zones sexuelles comme des parties honteuses du corps : peut-être éviteront-ils ainsi de se « traiter » en utilisant des termes désignant tant le sexe féminin que masculin ?

DES LIMITES À NE PAS FRANCHIR

Malaise

À une exposition de photographies que je visitais à New York, un père artiste et photographe célèbre avait exposé des photos de sa

> *propre fille de 8 ou 9 ans qui posait pour lui, nue devant la caméra. Malgré le jeune âge de cette petite fille impubère, je jugeais que ces photographies avaient un caractère érotique. Elles m'évoquaient l'exhibition et l'inceste. La personne organisatrice de l'exposition, mécène et découvreuse de talents, collectionneuse de travaux photographiques contemporains, ne comprenait pas du tout mon malaise et mes critiques.*

Lorsque les parents ne respectent ni dans leurs paroles, ni avec leur corps les limites qui s'imposent dans leurs relations à leurs enfants, lorsque, par exemple, ils prennent leurs enfants pour confidents et leur décrivent en détail leurs relations amoureuses conjugales ou extraconjugales, lorsqu'ils poursuivent le rituel de la toilette commune bien au-delà du nécessaire ou lorsqu'ils partagent le même lit avec leur enfant sans qu'il y ait nécessité absolue (ce qui peut arriver dans certaines situations d'urgence ou de pauvreté), on peut parler de « comportements incestueux ». Ces comportements amènent une trop grande proximité psychique ou corporelle qui évoque une relation amoureuse et introduisent une grande confusion dans la construction de l'image de soi pour un enfant. Ne sachant plus où est sa place, il peut se retirer du monde des affects et vivre une sorte de dépersonnalisation. Un enfant, en effet, dans ses relations avec son père et sa mère et avec les autres adultes, recherche avant tout la tendresse. Avant la puberté, il est très loin de la « sexualité génitale » adulte, celle qui met en jeu l'organe sexuel. En revanche, les sentiments que des adultes éprouvent l'un pour l'autre, qu'il y ait ou non acte sexuel, sont « érotisés » car le désir amoureux chez l'adulte inclut la relation sexuelle. Les parents ou les autres adultes doivent donc se garder de répondre à la demande de tendresse d'un enfant par une offre d'amour inadaptée, que celle-ci s'exerce en paroles ou par un contact corporel érotisé. L'enfant risque alors d'être « adultisé » à un âge trop précoce, comme le serait « un fruit qui devient trop vite mûr quand le bec d'un oiseau l'a meurtri », selon la belle formule de Sandor Ferenczi, psychanalyste hongrois, disciple de Freud, dans un texte célèbre qui s'intitule « Confusion de langue entre les adultes et l'enfant ». L'enfant ainsi identifié à un adulte ne distingue plus en lui-même sa partie infantile et sa partie précocement arrivée à maturité. Il est dans la confusion. Pour sortir de cette confusion, il peut régresser à un stade antérieur, redevenir un bébé ou, au contraire, se comporter comme l'adulte qu'il n'est pas encore devenu. Il devient un « nourrisson savant ». Nous connaissons des cas extrêmes de ces situations dans les pays où les enfants traumatisés, abandonnés à eux-mêmes dans les rues, ont des comportements érotiques provocateurs. Sans céder à la hantise actuelle de l'inceste qui va jusqu'à interdire aux adultes d'avoir des gestes de tendresse avec les enfants, il s'agit d'être attentif à ne pas exhiber sa nudité, ni sa sexualité en présence des enfants, ni de leur proposer ou imposer des contacts corporels qui peuvent prêter à confusion. Dans le cadre d'une éducation respectueuse de ces limites, l'enfant cesse de lui-même ses demandes de tendresse, lorsqu'il perçoit qu'il a dépassé l'âge « tendre ». Il s'adressera alors à ses pairs – ce qui est dans l'ordre des choses. Si, par contre, un enfant a un comportement qui paraît trop sexualisé pour son âge, on peut se poser la question d'un vécu incestueux traumatisant.

Il est également important que les adultes demeurent à leur place générationnelle. Un père qui sort en « boîte » avec son fils ou sa fille et « s'éclate » en copiant le langage adolescent risque de semer la confusion chez son enfant. Cette attitude peut s'apparenter à un comportement incestueux. Les parents sont parfois surpris d'entendre ces mises en garde, mais elles sont essentielles pour l'accès à la maturité des jeunes enfants.

Que dire aussi des images érotisées de la publicité ? Dans notre société occidentale, dans cette « société du trop-plein », la sexualité devient un objet de consommation parmi d'autres. La banalisation de la sexualité est un phénomène collectif qui mérite d'être critiqué et c'est un acte éducatif en soi que d'en montrer les effets néfastes ; quand tout s'offre et tout se montre, il n'y a plus de désir car le désir est manque. Ce que l'on peut néanmoins supposer, c'est que cette exhibition des zones sexuelles féminines et masculines sur les murs de nos villes et dans les magazines perd de sa nuisance parce qu'elle est partout et qu'on finit par ne plus la voir. L'impact est sûrement moins grand que lorsqu'il s'agit d'images volontairement offertes à l'enfant dans son milieu familial ou en tout autre lieu de rencontre. Il est tout à fait utile à cette occasion de rappeler que le fait de regarder ensemble, en famille, des films ou images pornographiques constitue une effraction psychique assimilable à un comportement incestueux.

De la valeur éducative du porno

Comme pédiatre et parent d'élève, j'ai animé pendant quelques années un « club santé » au collège de la cité proche de mon domicile fréquenté par mes enfants. Au terme d'une rencontre, quelques-uns m'ont invitée à venir regarder un film pornographique avec eux. Tout à fait stupéfaite de leur invitation, je l'ai immédiatement refusée. Non seulement, leur ai-je dit, je n'étais pas du tout intéressée par ce genre d'images, mais aussi totalement opposée à ce que des enfants de leur âge (ils avaient entre

12 et 15 ans) puissent les regarder ; il y avait d'ailleurs des lois qui interdisaient ce genre de choses. Je venais au club santé pour leur apporter des informations en tant que médecin et non comme complice. La pornographie n'avait aucun intérêt pour comprendre ce que représentait une relation sexuelle et donnait une image tout à fait faussée des relations entre un homme et une femme. Avec l'infirmière, le médecin scolaire et le professeur des sciences de la vie, nous avons abordé, à la séance suivante, le thème de la sexualité. Dans l'après-coup, j'ai interprété cette invitation certes comme un signe de la confiance qu'ils m'accordaient, mais encore plus comme une interrogation sur les limites qui s'imposent entre adultes et enfants et sur la valeur d'apprentissage, en matière d'éducation sexuelle, que l'on pouvait accorder à ces films qu'ils avaient peut-être (ou pas) eu l'occasion de regarder. En montrant mes propres limites, j'ai tenu ma place d'adulte, ce qui a dû les rassurer.

JOUER AUX LOLITAS

Par un phénomène identificatoire bien connu, la toute jeune fille se déguise en dame, elle met des hauts talons et du rouge à lèvres en cachette de sa mère. Ce qui est nouveau aujourd'hui, c'est que le déguisement est devenu une mode vestimentaire et un marché juteux. Les seins à peine formés sous le tee-shirt, les nombrils exhibés par les petites lolitas contemporaines ne doivent pas être vus comme des appels à une sexualité précoce, mais plutôt comme des actes mimétiques, d'un grand conformisme ; l'identification aux mères fait place à l'identification aux nouvelles idoles du cinéma, de la chanson, aux images des magazines. Ces toutes jeunes filles sont bien sûr loin d'avoir atteint une maturité relationnelle et sexuelle ; les adultes n'ont pas à se méprendre et ne doivent pas considérer ces exhibitions de peau comme des appels sexuels.

À ma consultation, j'ai observé à plusieurs reprises auprès de certains couples recomposés des situations dangereuses et potentiellement nocives. J'ai entendu un certain nombre de beaux-pères qui, en ma présence, ne contrôlaient guère ni leurs gestes ni leurs paroles et employaient un vocabulaire grossier vis-à-vis de leurs compagnes et de leurs jolies petites filles. Dans ces situations, je n'ai jamais hésité à intervenir pour dire les limites et l'absolue interdiction de confondre mère adulte et petite fille. C'était le cas de la petite Adèle, 7 ans, qui venait d'habitude avec sa maman Marianne. Elle est arrivée, un jour, accompagnée par le compagnon de sa mère. Lorsque j'auscultai la petite, cet homme s'est extasié sur la beauté du petit corps et parla même de sa « chatte ».

J'ai dû rappeler, avec fermeté, à cet homme et devant sa belle-fille qu'Adèle était une petite fille et pas du tout une femme. J'ai dû ajouter : « Vous n'êtes pas autorisé à employer à son égard les mots que vous employez avec sa mère. »

L'idée qui m'a animée tout au long de ce chapitre a été de montrer que le meilleur apprentissage que l'on puisse donner en matière d'amour et d'amitié à nos enfants reste nos propres comportements vis-à-vis des êtres qui nous sont chers. C'est par nos actes avec nos proches, autour de nous, en société que l'enfant apprend. Les « savoir-vivre » comptent autant sinon plus que les savoir-faire ou les savoir-dire. C'est enfin guidé par nos convictions qu'il fait ses premiers apprentissages.

Un autre enjeu de la transmission est également d'indiquer à chaque enfant la place qu'il occupe dans la différence des sexes et dans l'ordre des générations. Être né(e) dans la différence des sexes signifie que, quel que soit l'environnement de l'enfant, qu'il soit élevé dans une famille dite « normale », « monoparentale », « recomposée », au sein d'un couple homosexuel, celui-ci est né d'un homme et d'une femme. Être né(e) dans l'ordre des générations signifie que chacun de ses parents de naissance ou d'éducation est aussi né dans la différence des sexes et donc d'un père et d'une mère. Même s'il vit avec ses grands-parents, l'enfant n'est jamais le fils ou la fille de sa grand-mère et de son grand-père. Deux générations les séparent.

V

COMMENT AIDER NOS ENFANTS À VIVRE LEUR VIE AFFECTIVE, AVEC SES BONS ET SES MAUVAIS CÔTÉS

TRANSMETTRE : ENTRE REPRODUCTION ET TRANSGRESSION

Dans une société où les autorités religieuses et les transmissions ancestrales ont moins de place, les parents se posent beaucoup plus de questions qu'auparavant. Or, les questions, les doutes, les interrogations, s'ils sont certes moins confortables que les principes inflexibles transmis de génération en génération, apportent plus de liberté dans la vie et deviennent source d'inventivité et de créativité. La démocratie qui a trouvé plus de place dans la société concerne également l'éducation parentale. L'enfant est aujourd'hui mieux pris en compte dans sa spécificité. Il n'est plus le petit personnage à dresser qui doit se couler dans un moule préétabli, mais « une personne » digne de respect qu'il faut accompagner dans son évolution vers l'autonomie. L'envers de ce décor démocratique, c'est qu'entre le modèle autoritaire souvent transmis par leurs propres parents et un modèle plus ouvert à la discussion, plus « libre », laissant aux enfants la possibilité d'exprimer leurs sentiments, les parents ont souvent du mal à s'y retrouver. Les réactions de leurs propres enfants et des amis de ceux-ci les amènent à s'interroger sur ce qu'ils ont à transmettre, sachant, comme on l'a vu au chapitre précédent, qu'il y a toujours une part d'insu dans la transmission. Nous ne contrôlons pas tout ; mais, pour ce qui est de leur prérogative, comment les parents peuvent-ils intervenir de façon éducative dans la vie relationnelle de leurs enfants sans être intrusifs et dans le respect de leur individualité ? C'est ce que nous allons examiner dans ce chapitre.

À mesure que l'enfant grandit, il est amené à fréquenter des personnes dont l'origine sociale et culturelle est parfois très différente de la sienne. Ces nouvelles opportunités de nouer des liens avec des personnes que la famille connaît mal ou pas du tout donneront l'occasion aux parents d'exprimer leurs attentes et de s'interroger : « Notre enfant grandit, il s'éloigne de plus en plus de nous. Avons-nous été de bons parents ? Que devons-nous lui transmettre et comment ? Pour ses relations à autrui, comment pouvons-nous continuer à l'accompagner ? S'il prend des risques dans ses amitiés et ses élans d'amour, comment pouvons-nous intervenir tout en lui accordant notre confiance ? »

PÈRE NOËL ET COMPAGNIE

À partir de quel moment peut-on faire confiance à nos enfants et les laisser libres dans leurs fréquentations ? De 7 à 12 ans, ces années qui précèdent la puberté et mènent à l'adolescence sont les périodes de la vie où les parents peuvent graduellement donner plus de liberté à leurs enfants car leur développement cognitif et affectif les rend capables d'apprécier leurs relations aux autres. Ils quittent l'illusion imaginaire de leur toute-puissance et font progressivement la distinction entre eux-mêmes et autrui. L'enfant réalise de mieux en mieux, par exemple, qu'il ne suffit pas de commander à une personne d'accomplir une action pour que celle-ci obéisse de façon magique. Peu à peu, il ne croit plus au « Père Noël », à la « Petite Souris », aux pouvoirs des fées et des sorcières...

On peut prendre comme exemple d'autonomie dans le comportement l'apprentissage du déplacement à la ville ou à la campagne. L'enfant prend conscience des règles et des codes qui régissent la circulation ; il réalise que les feux de signalisation fonctionnent indépendamment de sa volonté, qu'il ne suffit pas de courir vite, ni lever la main pour que le « flot » des piétons et des véhicules s'arrête et le laisse traverser. En effet, vers 9-11 ans, en fonction de son lieu d'habitation, urbain ou rural, en fonction de sa culture familiale et de l'éducation qu'il a reçue, un enfant devient le plus souvent apte à « incorporer » dans son comportement les règles imposées par la vie en collectivité. En même temps, il remarque les différences dans les façons de faire des uns et des autres : il observe, par exemple, que certains respectent scrupuleusement les règles et les interdits, alors que d'autres non ; il en conclut que le manque d'expérience en la matière impose la prudence.

PRENDRE LE RISQUE DE LES LAISSER GRANDIR

Le fait de voir ses enfants grandir, acquérir une plus grande maturité est souvent source d'angoisse pour les parents. Des questions nouvelles surgissent : quels risques courent-ils vraiment en devenant plus autonomes ? quelles craintes peuvent-ils à juste titre ou de façon exagérée susciter chez les parents ? Non sans les avoir éduqués et avertis, certains d'entre eux prennent le parti de faire confiance à leurs enfants, d'autres redoutent qu'ils se laissent « entraîner » par plus débrouillards et plus rusés qu'eux et que les règles qu'ils imposaient et qui étaient jusque-là généralement bien respectées ne le soient plus. Comment faire la part des choses ?

La maturité intellectuelle et affective

On se contente souvent de parler de « maturité intellectuelle et cognitive » qui se mesure par un certain nombre de tests dont le résultat mesure le quotient intellectuel :

le Q.I. Mais la maturité est tout aussi importante dans le domaine affectif. Certains enfants ont un Q.I. très élevé par rapport à leurs pairs, mais leur maturité affective, en revanche, correspond à celle d'enfants plus jeunes. Il faut savoir respecter ce décalage et ne pas s'en alarmer. Par exemple, il ne faut pas s'inquiéter de voir un enfant de 10 ans jouer avec des petites voitures ou des Playmobil et l'en empêcher, quand, par ailleurs, c'est un « crack » en mathématiques et qu'il dépasse largement ses compagnons de classe sur le plan des performances scolaires.

Si les compétences cognitives et corporelles sont relativement faciles à observer, à repérer, à mesurer (posséder la maîtrise des mathématiques, de la lecture, de l'écriture, savoir se diriger dans l'espace, avoir une force musculaire et une adresse motrice qui correspondent à l'âge chronologique), la maturité affective, la sortie du lien intense à la mère et au père sont beaucoup plus difficiles à appréhender.

Il est très important de respecter l'enfant dans son développement affectif et relationnel, qui n'a peut-être rien à voir avec ce qu'on imagine et désirerait pour lui.

Être parents de préadolescents consiste à se montrer toujours présents sans être pesants, à garder le contrôle mais à distance, à observer un peu mais pas trop... à apprécier au mieux l'évolution cognitive de l'enfant, son développement affectif, afin de l'accompagner avec sérénité, en lui offrant tout l'appui dont il a besoin. Cette présence des parents, ni trop proche ni trop distante, apporte aux enfants un sentiment de sécurité qui permet à chacun d'évoluer en fonction de sa propre sensibilité, de découvrir ses potentialités, tout en s'appuyant de temps en temps sur l'un ou les deux parents sans avoir le sentiment d'être pris pour un bébé. Certains enfants sont plus lents à trouver cette sécurité en dehors de papa/maman. Et papa/maman ont parfois eux aussi des difficultés à quitter leurs enfants. C'est à chacun de prendre le temps de découvrir son propre rythme sans injonction d'une norme généralisée et généralisable.

Tout comme il ne faut pas lui imposer ses amis, c'est-à-dire les enfants que l'on préfère en tant que parents, il est tout aussi essentiel de ne pas freiner un enfant lorsqu'il commence à manifester ses élans vers les autres.

Ne pas pénétrer trop vite dans son espace intime, respecter ses choix tout en lui indiquant les limites à ne pas franchir, et en même temps lui faire savoir qu'il peut s'appuyer à tout moment sur l'un ou l'autre de ses parents ou sur un autre adulte sont les attitudes qui sont conseillées même si elles ne sont pas toujours évidentes à mettre en œuvre.

PAR LA GRÂCE DU SPORT ET DE LA RÈGLE COLLECTIVE

Les activités extrascolaires manuelles, sportives, artistiques offrent parfois l'occasion de s'ouvrir à d'autres champs, développer d'autres dons que ceux qui sont demandés à l'école. Les rencontres avec d'autres enfants se font dans un cadre sécurisant et moins contraint que celui de l'école. Elles peuvent aussi permettre de sortir du lien trop fort aux parents en favorisant un lien privilégié avec l'une ou l'autre personne adulte qui fait fonction symbolique de père ou de mère.

Benjamin et le foot

Benjamin est un solide garçon de 8 ans, bien râblé et bien musclé, le deuxième de sa fratrie. À la maison, il garde la téline en bouche le jour comme la nuit. Il refuse les contraintes : repas, sommeil, rangement de sa chambre, participation aux tâches familiales... Il a beaucoup de mal à quitter sa mère et s'adapte très mal à l'école où il est également très instable et agité. En cour de récréation, il se retrouve souvent seul car il n'a aucun copain. Son père l'a inscrit au club de foot de son village. Celui-ci est animé par Antoine, un jeune adulte, pompier volontaire, qui exerce une autorité ferme sur l'ensemble des enfants. Toutes les trois semaines, un après-midi est consacré aux compétitions entre les clubs de foot des villages environ-

nants. Après deux mois de rébellion plus ou moins bien tolérée par les autres enfants, Benjamin s'est pris d'un grand attachement pour l'entraîneur. À la moindre dispute, au moindre bobo, il a longtemps cherché la protection d'Antoine qui le consolait tout en le rudoyant. Après ces deux mois d'attente, il a fini par adhérer aux contraintes et aux règles qui régissent les matchs. Progressivement il s'est approché de Dimitri, le plus jeune et le plus fluet du groupe, à qui il a offert sa protection avant de devenir son ami. Peu à peu, il a accepté de jouer avec l'ensemble de l'équipe aux places qui lui étaient désignées. À la maison, il a abandonné sa tétine et a fini par accepter de se rendre à l'école sans se plaindre.

Les activités organisées en dehors de la famille ne peuvent pas non plus devenir des recettes qui permettraient de détacher l'enfant de ses parents pour que celui-ci se fasse des copains. On connaît la trop grande propension de certains d'entre eux à multiplier fébrilement les activités extrascolaires pour qu'il ne reste aucune plage vacante dans l'emploi du temps de leur enfant. Il est tout à fait autorisé et parfois même recommandé de prendre le temps de laisser mûrir, sans rien brusquer. L'amitié ne se décrète pas : elle se vit. L'attente est certes plus aisée si l'enfant a l'occasion de se faire des ami(e)s dans le réseau relationnel de ses parents.

LE FORÇAGE RELATIONNEL OU COMMENT LES ENFANTS DE NOS AMIS SONT LES AMIS DE NOS ENFANTS

Le fait d'avoir des parents entourés d'un large cercle d'amis facilite la socialisation d'enfants qui ont beaucoup de mal à s'éloigner de leur maison ; ils sont mal à l'aise en territoire inconnu et se retrouvent souvent seuls car ils ont découragé les invitations qui se font alors de plus en plus rares... À ma consultation, il est fréquent que des parents me confient leurs souvenirs d'enfance. Certains qui se sont décrits comme des enfants craintifs et trop « collants » à leur famille se souviennent d'avoir connu leurs premières complicités avec les enfants d'amis de leurs parents ; c'est avec eux que se sont commises les premières bêtises en cachette des adultes.

Il arrive cependant que le courant ne passe pas entre les enfants des uns et ceux des autres. Les parents insistent parfois de façon maladroite pour tenter de faire exister une camaraderie toute de surface. La plupart des enfants opposent une résistance plus ou moins vive à ce « forçage relationnel ».

Loïc « fiancé » à la fille de la voisine

Loïc est le quatrième enfant de sa famille. Trois filles l'ont précédé. Dix années séparent la fille aînée de ce garçon très attendu.

Dès sa naissance, ce fils est adoré de ses deux parents. Un lien fusionnel s'instaure entre la mère et son fils. Loïc ne fréquentera pas l'école maternelle. À chaque tentative il a hurlé, pleuré et même essayé de se sauver. Sa mère renonce à cette première séparation. Ils sont si heureux ensemble à la maison ! Et puis Loïc peut ainsi se rendre tous les jours chez ses grands-parents maternels qui n'habitent pas loin.

Il ne pourra cependant pas échapper à l'école primaire. Deux années seront nécessaires à l'enfant et probablement à sa mère pour s'adapter à l'institution scolaire. Il se tient à l'écart et ne se fait aucun copain. Puis il s'adapte de mieux en mieux, si bien même qu'à la fin du primaire il deviendra le leader de sa classe. Au collège, dès la classe de sixième, il commence à organiser des fêtes et des petits spectacles dont tout le monde parle. Pauline sera la première de toute une série d'amoureuses. La maman dit de Loïc qu'il a « un cœur d'artichaut » et que ses choix ne sont pas très judicieux. Les filles qu'il choisit ne sont pas à « sa hauteur ». Elle n'est visiblement pas du tout heureuse de voir son fils tomber amoureux avec tant de facilité de filles qu'elle-même n'a pas choisies. En effet, lorsque Loïc était plus jeune, la mère n'a cessé de déployer tous ses efforts pour organiser la vie affective de son fils. À l'âge de 8 ans, celui-ci a été « fiancé » à Christèle, la fille de voisins que les parents fréquentaient régulièrement. À chacune des rencontres avec la famille amie, les parents encourageaient les jeux de Loïc avec Christèle. On les voyait déjà mariés et les parents de s'extasier devant la jolie paire d'amoureux ! Lorsque les parents de Christèle ont déménagé, le « mariage » a pris fin. À 18 ans, Loïc a quitté la maison maternelle pour des voyages lointains en Extrême-Orient. De retour en France, il rendait peu visite à ses parents qui ignoraient tout de sa vie sentimentale. Des relations plus proches ont repris (mais avec retenue) lorsque sont nés ses enfants.

Je tiens ce récit de Loïc devenu adulte, marié et père de deux enfants. Celui-ci n'a pas le souvenir d'avoir été le moins du monde amoureux de Christèle. Ses parents étaient si heureux de voir les deux enfants se tenir par la main qu'il ne voyait pas pourquoi il ne leur accorderait pas ce plaisir. Il n'a jamais su si Christèle, elle, était amoureuse de lui. A-t-elle vécu cette union arrangée puis dénouée comme une amoureuse éconduite ? Nul ne peut le dire. Elle est toujours célibataire et a conservé une amitié avec les deux sœurs aînées de Loïc.

La tentative maladroite de la mère de Loïc de garder son fils auprès d'elle, en le « mariant » précocement à une voisine, n'a donc pas été un succès. Ce qui a été salvateur pour Loïc, à la puberté, c'est d'avoir trouvé la force de rompre le lien trop fort qui l'unissait à sa mère, pour tisser des amitiés et des liens amoureux loin des siens.

Si le forçage relationnel n'est jamais indiqué, par contre, une aide peut être utilement apportée à un enfant qui en fait la demande et souffre donc de sa solitude.

Proposer sans imposer

Les tentatives d'intervention pour imposer une amitié sont parfois couronnées de succès mais le plus souvent vouées à l'échec. Par contre, il est toujours possible de se poser avec l'enfant la question sur ce que représente pour lui / pour elle une véritable amitié. Il ne s'agit pas de donner à l'enfant sa seule définition d'adulte, mais bien de tenter de parler avec lui et surtout de l'écouter sur ce qu'il a à dire. Ce qu'il attend, par exemple, d'une amitié, ce qui lui plaît ou lui déplaît chez tel ou tel enfant avec lequel il vient de se lier ou, au contraire, de rompre. Et comme nous l'avons déjà dit, il est important de laisser les questions ouvertes. Lorsque la situation se prolonge et qu'un enfant devient de plus en plus instable ou de plus en plus solitaire, il peut être indiqué de consulter un(e) psychologue, un CMPP, un(e) pédopsychiatre.

LES « QUASI » FRÈRES ET SŒURS DANS LES FAMILLES RECOMPOSÉES

Ces enfants qui cohabitent de façon permanente ou temporaire pendant les vacances et les fins de semaine sont dans une situation qui peut ressembler à celle qui vient d'être décrite. Le nouveau couple formé par les parents des uns et des autres a souvent un très fort désir de voir naître une amitié et – pourquoi pas ? – un sentiment d'amour entre leurs enfants respectifs. Comme tout rêve, celui-ci peut s'accomplir. J'ai rencontré des enfants de familles recomposées qui deviennent très proches et nouent des amitiés solidaires. Mais le plus souvent ce n'est pas le cas. La plupart des enfants gardent la nostalgie du couple initial de leurs parents, même si les conflits y étaient fréquents. Ils ont tendance à voir dans les enfants du « beau-parent » des ressemblances avec la personne qu'ils imaginent avoir séduit leur parent et forcé à quitter ses précédentes attaches. Même si les enfants passent ensemble des moments heureux et peuvent se considérer comme « presque » frères ou sœurs (il est bien dommage qu'aucun autre terme n'existe dans la langue française pour les enfants nés d'un nouveau couple que l'on appelait autrefois « enfants d'un autre lit »), il me semble important que les parents acceptent l'inconfort des inimitiés qui peuvent se manifester entre leurs enfants. Il leur faut admettre que leur amour n'est pas obligatoirement transmissible et que, par conséquent, rien n'est gagné dans les relations entre enfants nés de « lits » différents. L'amour pas plus que l'amitié ne se décrètent. L'important, c'est que les attentes et les déceptions des uns et des autres puissent se parler aussi paisiblement que possible. La situation peut être rendue difficile lorsque l'ancien conjoint du couple séparé manifeste de l'agressivité vis-à-vis du nouveau couple. Ce genre de situation provoque le plus souvent le mutisme des enfants et leur refus de communiquer avec les autres enfants qui vivent dans la nouvelle famille dite « recomposée ». Ce mutisme ne doit pas être considéré comme une attitude hostile mais comme une « défense » que l'enfant se construit pour se protéger de ses propres conflits intérieurs et peut-être imaginairement protéger le parent qui se sent délaissé.

LES SÉPARATIONS ET LES RETROUVAILLES

Il arrive souvent que des enfants qui vivent une grande amitié soient séparés du fait d'un déménagement ou d'un divorce. Ils peuvent aussi moins se fréquenter lorsqu'ils changent d'école ou même simplement de classe.

Chaque enfant réagit de façon différente à une séparation. Certains enfants (et c'est le cas le plus fréquent) vivent les séparations avec légèreté et optimisme. La certitude de pouvoir se retrouver malgré tout, la rencontre avec de nouveaux amis les satisfont. Ils peuvent garder un contact de grande proximité et de très longue durée avec l'ami(e), puis dans un second temps progressivement s'en éloigner. Les parents n'ont pas à intervenir.

D'autres vivent la séparation de façon plus douloureuse : tristesse, refuge dans le silence et la solitude peuvent être les manifestations les plus courantes. On peut aussi – et c'est plus sérieux – assister à des cas de phobie scolaire (refus de travailler à l'école, rejet des enseignants), avec apparition de symptômes somatiques et psychiques qui évoquent un trouble dépressif. J'ai été plusieurs fois consultée pour des enfants qui, après avoir été bons élèves, développaient subitement de tels troubles, le plus souvent dans les premières années d'école primaire ou lors du passage en sixième lorsqu'ils sont confrontés à de nouvelles règles, de nouvelles responsabilités. Le fait de ne plus être soutenus par une forte amitié et par un unique enseignant rendait parfois plus difficile leur adaptation.

« Un seul être vous manque... »

Nicolas, qui a 10 ans, est très ami avec François depuis le CE1. En CM2, la directrice de l'école réorganise la composition des classes et Nicolas ne se retrouve plus dans la même classe que son meilleur ami. Dès les premiers jours d'école, il se transforme. Ce jeune garçon, qui était toujours plein d'entrain, sociable et joyeux, ne sourit plus, ne joue plus, dort mal la nuit, perd l'appétit. Il semble épuisé. Sa mère me l'amène en consultation. L'examen clinique est totalement normal. Nicolas me parle de son ami qui lui manque tant. « Le retrouver aux récréations, ce n'est pas suffisant », affirme-t-il. La directrice et l'institutrice pensent que Nicolas exagère, que sa mère le protège trop et que tout va s'arranger avec le temps. Elles déclarent qu'il est impossible en raison des effectifs de réunir les deux enfants dans la même classe. Deux mois se passent. Nicolas va de plus en plus mal, les résultats scolaires sont désastreux. Il revient à plusieurs reprises à ma consultation. L'institutrice commence elle aussi à s'inquiéter. La décision de le changer de classe pour retrouver son ami est finalement acceptée avant la fin du trimestre. Du jour au lendemain, tous les troubles somatiques et psychologiques, y compris le désintérêt pour les apprentissages, disparaîtront à la stupéfaction des adultes.

La phobie scolaire de Tom

Tom est en classe de CM2. Du jour au lendemain, alors que tout se passait bien avec son instituteur et ses copains de classe, il refuse de se lever le matin. Sa mère le tire du lit ; il refuse le petit déjeuner et affirme qu'il ne veut pas bouger de chez lui. Même si cela lui est difficile, elle le mène jusqu'à l'école et le pousse dans la cour. Il reste planté au milieu des enfants. Sur incitation de l'enseignant, il finit par entrer dans sa classe. Une fois assis, il croise les bras sur sa table et refuse de participer aux activités. Le pédiatre consulté conseille de ne pas le mettre en classe pendant deux semaines et de le confier à son ancienne assistante maternelle, Nicole, qu'il adore. Peu à peu, Tom perd sa tristesse. Au bout d'une semaine, il raconte à sa « nounou » son chagrin de ne plus revoir Rachida qu'il aime depuis le CP. Celle-ci lui a dit qu'elle allait déménager dans une autre ville où son papa avait trouvé du travail. Cajolé par Nicole, peu à peu il perd sa

> *tristesse et, sur la promesse de revoir Rachida pendant les vacances,*
> *il accepte de retourner en classe.*

La maladie d'amour existe chez les jeunes enfants comme chez leurs aînés. Fort heureusement, tous les enfants n'en sont pas atteints.

Ce sont eux qui doivent manifester leur désir de revoir leurs anciens amis. Les retrouvailles s'organiseront ensuite entre adultes, si les obstacles ne sont pas trop nombreux (distance géographique, par exemple). Il ne nous est guère possible de protéger nos enfants de tous les chagrins, pas plus que satisfaire tous leurs désirs, et nous devons l'accepter. Le manque fait partie de la vie. Une forte volonté des enfants peut également accomplir des « miracles ». Nous l'avons vu avec Nicolas et François. D'autres enfants peuvent s'organiser pour se retrouver bien des années après une séparation. Internet abolit les distances et permet aujourd'hui de communiquer de façon simultanée.

Les parents peuvent encourager l'écrit sur papier avec une enveloppe déposée à l'adresse de l'ami(e), dans une boîte aux lettres bien réelle. Ce geste, à mon avis, symbolise le lien et l'effort à effectuer pour tenter de le maintenir. Bien entendu, le téléphone et le courriel ne sont pas interdits. Lorsque les rencontres sont réclamées et sont possibles, il faut savoir qu'après un long temps de séparation, les retrouvailles ne sont pas obligatoirement immédiates. Une apparente indifférence avant de recréer une nouvelle complicité peut s'observer, surviendrait-elle après une demande impérative de rencontre. Garçons ou filles peuvent feindre d'à peine se reconnaître et de ne plus s'apprécier. « Recoller les morceaux » d'une ancienne complicité peut prendre du temps. Ce temps plus ou moins long des retrouvailles est à respecter, ne pas juger, ne pas commenter. Les parents qui ont beaucoup œuvré pour organiser les retrouvailles ne doivent pas manifester de déception ; ce n'est pas leur affaire. La rencontre peut aboutir à recréer des liens ou à les rompre. C'est selon.

ÉLARGIR SON CERCLE D'AMIS

L'envie de rompre avec l'image du petit que l'on a été peut amener un enfant, vers l'âge de 10-12 ans, à se tourner vers des camarades très différents de ses fréquentations habituelles. Lorsqu'ils approchent de la puberté, les enfants aiment souvent garder leur jardin secret.

À cet âge, éprouver une grande amitié ou un sentiment amoureux permet d'apprendre à découvrir une personnalité nouvelle extérieure à son milieu d'origine. Les parents s'en inquiètent parfois et portent parfois des jugements négatifs sur les fréquentations de leurs enfants. Ils peuvent aller jusqu'à les inscrire dans un autre établissement scolaire ou intervenir par des mesures coercitives pour faire cesser une amitié considérée comme néfaste. Or, l'expérience et un certain nombre d'études montrent que l'adage qui dit que « le fruit avarié dans le panier détériore tous les autres » ne s'applique pas de façon aussi simple dans les relations entre les enfants (ou même entre les adultes !). Un être humain même dans son âge « tendre » n'est pas un objet soumis passivement aux influences relationnelles. Quel que soit l'autre avec lequel il est en relation, l'enfant prend une part active dans les échanges. C'est le plus souvent au sein d'une bande ou même entre deux enfants que momentanément une certaine forme de mimétisme peut jouer : on imite la façon de parler et de s'habiller du copain, son comportement, ses attitudes. Cela n'est pas toujours du goût des adultes quand, par exemple, le vocabulaire devient grossier et le look provocateur : refus du coiffeur, *dreadlocks*, cheveux très courts, voire rasés – c'est selon... Il n'est pas rare aussi de vouloir un piercing ou un tatouage dès cet âge parce que tel copain en a un. On assiste aussi à de spectaculaires métamorphoses chez les filles, quand les nattes sont remplacées par des coupes sophistiquées et les tenues sages par des garde-robes plus osées. De nos jours, vouloir devenir femme avant l'heure s'exhibe dans la rue, alors que, par le passé, on chaussait les talons hauts de sa mère en cachette.

Ces attitudes mimétiques sont à mettre en parallèle avec les amitiés exclusives qui peuvent irriter les parents : les enfants ne se quittent plus, ils semblent ne plus pouvoir se passer l'un de l'autre, ils adoptent les mêmes comportements, les mêmes tics de langage, les mêmes coiffures, les mêmes vêtements.

LES RÈGLES ET LES LIMITES À IMPOSER

Pour accompagner un enfant dans l'évolution de sa maturité affective, dans la découverte de cette nouvelle personne qu'il est en train de devenir, il est tout à fait important que les adultes (parents mais aussi éducateurs ou enseignants), tout en restant présents et à l'écoute, lui indiquent respectueusement et fermement leurs propres limites et celles qui sont imposées par la vie sociale. La courtoisie et la politesse dans les échanges font partie des apprentissages. La culture parentale, au même titre que les règles sociales de la collectivité, doit être respectée (dans certaines familles, l'usage de mots grossiers n'est pas toléré ; ailleurs, par exemple, il faudra scrupuleusement se plier aux horaires des repas, etc.). Cela n'enlève rien au rôle de soutien qu'on se doit de tenir auprès d'un enfant, bien au contraire. Il est important de rester ouvert aux échanges ; cela veut dire que chacun, enfant ou adulte, peut être écouté mais aussi interrogé. Certaines questions des enfants peuvent se passer d'explications ou ne pas recevoir de réponses immédiates. Par exemple : « Pourquoi les parents de ma copine acceptent qu'elle rentre à 10 heures du soir et pas vous ? » Les règles et les modes de vie ne sont pas les mêmes d'une famille à une autre ; les parents n'ont pas à se justifier de tout. Ils doivent donner un cadre sans être blessants et sont, bien entendu, non seulement autorisés mais vivement encouragés à poser des questions eux aussi : « Ta sœur qui t'attendait à la sortie t'a vu partir avec ton copain au lieu de rentrer directement à la maison. Tu savais que nous t'attendions. Où étiez-vous ? » ; « D'où te vient ton retard d'une demi-heure au cours de judo ? ». Ils peuvent avoir envie d'en savoir un peu plus sur un copain ou une copine, sur une petite ou grande histoire d'amour, en évitant les jugements moraux sur l'un(e) ou l'autre ami(e). Le parent a « aussi le droit » à la bévue ; à chacun de poser les questions qui lui semblent adéquates. Il n'existe pas de modèle en ce domaine.

Un père soupçonneux

Rachid est depuis une année le meilleur ami de Pierre, 9 ans. Le père de ce dernier trouve Rachid un peu trop silencieux et effacé, un peu fuyant et presque obséquieux à son égard, lorsqu'il vient chercher Pierre chez eux. Il se demande si cet effacement n'est pas une forme d'hypocrisie et craint que son fils ne soit manipulé par ce garçon plus âgé d'une année, qui cacherait son jeu. En un mot, il n'a pas confiance. Il le dit à Pierre qui réagit tout à fait violemment et accuse son père de racisme. Celui-ci, qui milite depuis des années dans plusieurs associations de défense des droits de l'homme et contre le racisme, est très affecté par les accusations de son fils. Pierre est, pour sa part, très contrarié et peiné par le jugement de son père, personne qu'il admire le plus souvent. La mère, choquée par les paroles un peu abruptes de son mari, tente sans succès d'intervenir pour donner son avis. Chacun en reste là, mais le fait que ce père inquiet a osé s'ouvrir à son fils sur ce qui le préoccupait a eu un effet positif. Père et fils, après deux semaines de brouille et de non-communication, se sont retrouvés avec enthousiasme pour faire du vélo, le dimanche matin, comme à leur habitude. L'amitié entre Rachid et Pierre n'a fait que se consolider.

Ce récit montre, s'il en est encore nécessaire, le rôle salutaire de la parole. S'ils ont des soupçons sur les fréquentations de leurs enfants, si quelque chose les inquiète, les parents peuvent en parler ouvertement avec les intéressés. Bien entendu, il vaut mieux que les échanges se passent de manière posée, mais parfois une maladresse peut échapper, comme on vient de le voir, provoquant une colère saine. Le fait de permettre à l'enfant de prendre son temps pour réfléchir, d'apporter ses propres réponses aux questions des parents, de confirmer son amitié ou parfois de la remettre en cause sans se déjuger peut aider celui-ci à développer un véritable sens critique. Les enfants doivent être encouragés à être partie prenante dans leurs relations. Il est plus important d'apprendre l'estime de soi, la confiance qui mène au respect des autres, qu'interdire de façon abrupte une fréquentation en stigmatisant définitivement l'enfant redouté.

Redouter les « mauvaises » fréquentations

Lorsque les enfants peuvent s'appuyer sur des adultes en qui ils ont confiance, la fréquentation de copains « loubards », de copines aux allures délurées ne crée pas obligatoirement une situation à risque, faisant redouter l'entrée dans la délinquance ou dans une sexualité précoce. Elle peut être une expérience intéressante et riche en apprentissages...

Antoine l'enfant sage et Jonathan le petit débrouillard

Antoine, à partir de l'âge de 9 ans, se prit d'amitié pour son voisin Jonathan, quatrième d'une famille de six enfants peu surveillés par leurs deux parents débordés par leur travail et leurs activités annexes (le père était pompier bénévole). S'ajoutaient à cela de fréquents soucis de santé. La sœur aînée, âgée de 16 ans, assumait beaucoup de responsabilités auprès des plus jeunes. Jonathan, petit pour son âge, vif, débrouillard, imaginatif, à la répartie facile, rassemblait autour de lui beaucoup de garçons et de filles de sa classe. Au collège, il était souvent recruté pour l'organisation des fêtes et des spectacles. Il fascinait Antoine, enfant unique qui menait une vie si tranquille à l'abri de tout souci et choyé par ses deux parents. Passionnés de science-fiction, ils s'échangeaient des livres, allaient voir les mêmes films. Malgré les faibles performances de Jo à l'école — ce qui lui valut deux redoublements — et les démêlés du grand frère avec la police pour une histoire de vol dans un grand magasin, l'amitié entre les deux garçons se poursuivit pendant plusieurs années, les parents d'Antoine ayant eu la sagesse de ne pas jeter de discrédit sur la famille sous prétexte qu'un des leurs était devenu délinquant. Ils continuèrent à ouvrir leur porte à Jo et à l'un ou l'autre de ses frères et sœurs. Ils firent confiance aux deux enfants et n'eurent jamais à se le reprocher.

Jo est devenu disc-jockey. Antoine, après des études de sociologie, est aujourd'hui éducateur. Antoine et Jo sont restés « potes », comme ils aiment dire, loyaux l'un envers l'autre, fidèles à leur amitié.

À l'approche de ce temps de l'adolescence où un enfant perd sa première enveloppe protectrice et que survient ce que Françoise Dolto appelle « le complexe du homard » (à l'image du homard, en effet, l'enfant change de carapace et reste sans défense le temps d'en « suinter » une nouvelle), l'attachement aux copains peut être un grand facteur de sécurité affective. La loyauté envers les « potes », la parole donnée, la solidarité sont autant de premières mises à l'épreuve sur le plan moral. Respecter ses semblables, ses pairs, de la même origine culturelle et sociale, est une première étape pour s'ouvrir vers l'extérieur, à d'autres cultures et d'autres milieux sociaux.

Certes, l'absence de « carapace » peut être aussi un facteur de fragilité et c'est pourquoi il importe que les parents, ou des professionnels dont c'est le métier, soient proches des enfants, lorsque ceux-ci risquent de se mettre hors la loi.

Farid sur la voie de la délinquance

J'ai ainsi pu observer l'évolution de Farid que j'ai soigné depuis sa naissance. Ses deux parents étaient venus d'Algérie en France dans les années 1960. Grâce à ses brillants résultats scolaires, Farid, soutenu par ses enseignants et par l'ambition de sa mère, entra au lycée en sixième, dès l'âge de 10 ans, quittant son quartier ouvrier. Farid avait devant lui la promesse d'un brillant avenir, autre que celui de son père, peintre en bâtiment, qui alternait travail et chômage. Lorsqu'à 12 ans il fut repéré par la police avec son meilleur copain pour un petit trafic de haschisch, sa mère m'appela à l'aide. Dans notre conversation, Farid ne cessait d'évoquer la fidélité à ses « potes » : « Je ne peux pas les quitter, je ne peux pas leur faire ça ! » N'était-il pas en train de me dire qu'il ne s'autorisait pas à fréquenter un beau lycée dans les beaux quartiers ? Pour Farid, la loyauté envers ses potes signifiait qu'il redoutait de les trahir. Elle signifiait peut-être également sa crainte de trahir ses origines algériennes. Nos échanges et mes exhortations à persévérer au lycée — car la réussite scolaire et sociale n'exclut pas la fidélité à ses amis — ne l'ont pas du tout convaincu, ne lui ont pas épargné la « galère » de quelques années de petite délinquance et d'importants troubles psychiques. Ses parents vivaient en même temps d'importants conflits. Cinq années ont été nécessaires, avec un suivi psychologique, pour que Farid retrouve son équilibre affectif et reprenne des études. Il a quitté la plupart de ses « potes » engagés dans la petite délinquance. Mais il est resté fidèle à Jérôme, son meilleur ami qui, après s'être égaré de la même façon que Farid, a suivi lui aussi le chemin d'une réinsertion sociale.

REDOUTER LE PROSÉLYTISME RELIGIEUX

Un enfant peut être amené à fréquenter un ou une camarade dont la famille a une pratique religieuse, alors que ses propres parents sont athées ou agnostiques. Il est tout à fait essentiel de l'informer sur le fait religieux et plus particulièrement sur la religion du ou de la camarade. C'est une occasion de lui enseigner à respecter les appartenances et les croyances d'autrui. Avoir une amie qui porte le foulard islamique permet, en questionnant cette pratique, par exemple, une plus grande proximité avec la religion musulmane. De la même manière, la fréquentation d'un(e) ami(e) d'origine juive permet d'apprendre que la religion juive n'est jamais prosélyte et que la conversion au judaïsme est très difficile à accomplir.

Dans le climat actuel où l'appartenance à l'islam est vite taxée d'intégrisme, voire de terrorisme (!), où aussi certains discours religieux favorisent le repli sur soi et sur sa communauté, certains parents peuvent redouter que leur enfant subisse l'emprise d'un(e) ami(e) pratiquant(e), quelle que soit sa religion. L'inverse peut être vrai également.

À ces âges qui précèdent la puberté, les enfants recherchent la conformité : c'est pour eux un cadre rassurant. Ne rien faire surtout pour se démarquer ! Ils peuvent ainsi être attirés par les rituels qui scandent la vie religieuse. Les communions, les fêtes où la communauté se retrouve pour une journée peuvent être séduisantes. J'ai rencontré un grand nombre d'enfants entre 8 et 12 ans (et il me semble que ce sont plutôt les filles que les garçons) très attirés par le cérémonial de la religion ; la communion en robe blanche dans le catholicisme fait beaucoup d'adeptes... J'en ai rencontré d'autres tentés par l'impression de liberté offerte par l'absence de religion.

La crainte des parents, dans un sens ou dans un autre, n'est donc pas vraiment fondée, même s'il est possible de la comprendre.

Lorsque les parents forment un couple mixte – ce qui est de plus en plus fréquent –, les enfants peuvent être attirés par l'origine religieuse de l'un ou de l'autre.

Rose entre deux cultes

Je me souviens de Rose qui avait 12 ans lorsque je la rencontrai pour la première fois. Ses parents ne pratiquaient aucune religion. Sa mère était d'origine juive et son père d'origine protestante. Rose était très amie avec Maya, du même âge qu'elle et qui fréquentait assidûment le temple avec ses parents. Rose accompagnait Maya aux cérémonies religieuses, aux repas de fête de famille : baptêmes, communions, mariages. Elle se demandait souvent quelle religion elle choisirait lorsqu'elle deviendrait adulte. Elle discutait avec son amie, interrogeait beaucoup ses propres parents. Ces questions les obligèrent à aborder des sujets qui ne leur avaient pas paru importants jusque-là. Pendant quelques mois, ils explorèrent leurs origines religieuses respectives. Du côté de la mère, un arrière-grand-père avait été rabbin ; du côté du père, il y avait un pasteur. Pendant deux années, Rose fréquenta le temple avec son amie. Elle suivit les cours religieux et les animations du mercredi avec un pasteur qui accueillait un groupe d'enfants du quartier. Petit à petit, la question religieuse fit place à d'autres interrogations. À l'adolescence, elle s'intéressa au judaïsme... La bienveillance manifestée par ses parents à l'égard de la pratique religieuse de son amie, le fait qu'elle puisse poser toutes les questions qu'elle voulait constituèrent une ouverture extraordinaire pour cette jeune fille et lui permirent d'explorer sa propre histoire familiale.

Patricia et l'Orient

Patricia, dont la mère était souvent hospitalisée pour dépression et le père absent, était élevée par sa tante ; c'est cette dernière qui a pris la décision de me consulter car elle s'inquiétait de la tristesse de sa nièce. Patricia était très menue, presque diaphane. Timide, elle se retrouvait souvent seule dans la cour de récréation. Naïma, née dans le Sud marocain, au teint noir presque africain, entourée de nombreuses amies, avait remarqué Patricia et était très intriguée et attirée par cette fille si différente d'elle. Au CM2, elles furent voisines et c'est alors que commença leur amitié. Dans l'appartement dépouillé, plutôt exigu, des parents de Naïma, vivaient aussi une grand-mère, un plus grand frère et deux plus jeunes sœurs du père. Patricia découvrit avec surprise un univers oriental totalement nouveau pour elle. Des sofas de mousse recouverts de tapis étaient adossés aux murs du salon sur lesquels s'affichaient les versets du Coran. Au retour de son travail, le père enfilait ses mules de cuir et revêtait sa gandoura. Pendant les repas préparés par la mère et la grand-mère de Naïma, elles aussi

revêtues de leur gandoura, les odeurs d'épices envahissaient l'apparte-
ment. Patricia adorait les gâteaux au miel qu'on lui offrait. L'hospi-
talité des parents de Naïma fut un grand réconfort pour Patricia.
L'appartement oriental constitua un refuge tout à fait apaisant.
Dans un coin du salon, les deux filles s'installaient pour faire leurs
devoirs. Les goûters, puis les repas furent de plus en plus souvent
partagés. Patricia s'intéressa au Coran, aux ablutions, aux prières
et, avec l'aide de Naïma, commença à étudier l'alphabet arabe. Elle
accompagnait parfois son amie aux cours d'arabe dispensés dans une
des écoles du quartier.

La tante de Patricia me fit part de son inquiétude sur ce nouvel
intérêt de sa nièce pour l'islam. Ne courait-elle pas le risque de se
convertir et devenir intégriste ? Elle accepta mes commentaires rassu-
rants.

En effet, elle put constater combien sa nièce s'épanouissait dans
cette famille musulmane et ne s'éloignait pas pour autant de la reli-
gion chrétienne transmise par ses parents. Ses résultats scolaires
devinrent excellents.

Dans certaines situations de souffrance relationnelle au sein d'une famille, quand on est à la recherche de repères, l'accès à une autre culture, à une autre religion peut accompagner et soutenir une certaine forme de résilience. L'évolution de Patricia nous offre un excellent exemple de l'aide structurante et non aliénante que peut apporter un mode de vie traditionnel encore très ritualisé, à cet âge qui précède l'adolescence.

Patricia revint me voir onze années plus tard car elle m'avait choisie comme pédiatre de sa fille. Elle me dit qu'elle avait depuis longtemps quitté le quartier, mais restait proche de Naïma et de ses parents. Sa fascination pour l'islam (elle avait gardé en mémoire l'alphabet arabe) avait fait place à une pratique du bouddhisme qui n'excluait pas les rituels catholiques. Sa fille fut baptisée. Elle avait rencontré un jeune homme vietnamien, un ancien *boat people*, l'avait épousé et s'était tout à fait bien intégrée au clan familial très uni qui avait réussi à s'échapper du Vietnam en guerre.

Tout au long de ma carrière, j'ai ainsi reçu plusieurs témoignages sur les bienfaits d'une amitié et de l'hospitalité offerte par la famille de l'ami(e), lorsque l'enfant vit une situation douloureuse. Ces relais qu'il trouve auprès d'autres parents peuvent témoigner de son aptitude à ne pas se laisser enfermer dans les conflits parentaux et à se protéger de certains événements douloureux qui peuvent survenir dans la vie de sa famille.

Par contre, j'ai connu et accompagné comme je l'ai pu d'autres situations où les interdits rigides et sans appel de certaines familles empêchaient tout dialogue d'une culture ou d'une religion à une autre, accentuant ainsi un sentiment d'insécurité chez les enfants concernés.

LES BIENFAITS DE LA MIXITÉ SOCIALE

On assiste aujourd'hui à un surprenant paradoxe... Grâce à Internet, cette formidable fenêtre ouverte sur le monde, notre culture et celle de nos enfants est devenue planétaire, l'information circule d'un bout à l'autre du globe, et tout ceci se passe sans avoir à sortir de chez soi ! La famille nucléaire n'a pas pour autant perdu la place majeure qu'elle occupe dans les villes et même à la campagne. Les enfants sont de plus en plus tenus de prendre comme modèle leur propre famille réduite à deux, trois personnes, si ce n'est à une seule. Une sorte de repli sur soi s'observe dans tous les milieux, exploitant le souci sécuritaire. Cet « entre-soi » a bien du mal à tenir la route face au métissage quasi imposé par nos modes de vie, et c'est tant mieux. La fréquentation d'enfants d'autres cultures, d'autres milieux sociaux est une nécessité quand on grandit. Aux âges prépubertaires où les enfants sortent peu à peu de la cellule familiale pour découvrir les sollicitations du monde extérieur, ils ont l'occasion de s'interroger et d'interroger leurs parents sur les modes de vie et de pensée observés autour d'eux. Cela les oblige à se poser des questions sur les idées reçues, les préjugés et les habitudes des uns et des autres. Le « Chez nous c'est comme ça » n'a plus force de loi et les parents sont amenés à réviser leurs certitudes. On ne le redira jamais assez : tout en étant, dans ce dernier temps de l'enfance, encore protégé par sa famille, l'enfant a tout à gagner à fréquenter des amis qui ont des modes de vie et des cultures différents. C'est une excellente préparation à sa vie professionnelle future et à son entrée dans une collectivité plurielle.

Les contraires s'attirent

Élisabeth a grandi entre un frère aîné et des parents âgés dans une grande maison sombre encombrée de meubles anciens et d'objets de famille qu'il ne faut surtout pas toucher parce qu'ils sont fragiles et précieux. Les parents d'Élisabeth redoutent la visite d'autres enfants. À 10 ans, Élisabeth devient la grande amie de Romane, troisième d'une famille de sept enfants. Elle adore passer ses mercredis dans cette maison un peu désordonnée, où les enfants circulent avec grand bruit dans les couloirs, même si les parents crient souvent pour tenter de se faire obéir et mettre de l'ordre dans les comportements souvent anarchiques des uns et des autres. Dans cette maison, il est possible de courir, de jouer sans crainte d'abîmer vaisselle ou meubles. Les parents d'Élisabeth, un peu réticents au début, finissent par accepter que leur fille ait fait de la maison de Romane sa seconde maison. Je rencontrerai Élisabeth bien des années plus tard, comme pédiatre de ses trois enfants. Elle est devenue peintre et professeur d'arts plastiques. Elle me dira l'importance qu'ont eue pour elle l'amitié de Romane et la fréquentation d'une famille si différente de la sienne. Elle se demande si les nombreux tableaux qui étaient exposés sur les murs de cette maison, ainsi que les sculptures sur bois du père et les aquarelles de la mère n'ont pas orienté le choix de sa profession.

En revanche, Solène me décrit une situation inverse. Quatrième d'une famille nombreuse, Solène a grandi dans une famille où régnait une anarchie qui lui était souvent inconfortable. Ses parents criaient beaucoup pour tenter de discipliner leurs enfants. Ils avaient de fréquentes disputes. Elle adorait aller en visite chez Nelly, fille unique de parents âgés, instituteurs, qui menaient une vie régulière, rythmée par les repas et les activités à heures fixes. Chez les parents de Nelly, tout était bien rangé, à sa place. Elle se sentait vraiment en sécurité dans cet univers peut-être un peu terne mais tellement plus silencieux et organisé que chez ses propres parents. Solène se demande elle aussi, comme Élisabeth, si le choix de son métier d'institutrice n'a pas été influencé par la fréquentation de Nelly et de ses parents.

Vos enfants invitent : les règles à respecter

Les parents sont en droit d'exiger de leurs enfants qu'ils respectent leur vie privée, les règles instaurées dans l'espace de la maison, et qu'ils participent aux tâches du quotidien jugées indispensables. Les adultes en retour doivent respecter la « vie privée » des enfants. De quoi s'agit-il ? De leur faire confiance quand ils invitent des copains, de ne pas chercher à forcer les confidences, de leur donner progressivement des responsabilités. Cette réciprocité est parfois une épreuve pour les parents, mais elle est le prix à payer pour l'avenir d'une relation de confiance entre eux et leurs enfants. C'est la meilleure sécurité offerte aux enfants afin qu'ils expérimentent leurs premières véritables relations aux autres.

LES PORTES ENTROUVERTES OU FERMÉES

Certaines familles vivent très centrées sur elles-mêmes et préfèrent se protéger des perturbations apportées par les allées et venues de copains et copines. Leur porte est entrouverte, mais jamais tout à fait ouverte aux fréquentations extra-familiales. Il y a plusieurs raisons à cela. Des mères souvent absentes en raison de leur travail peuvent ne pas souhaiter que leurs enfants en invitent d'autres, sans la présence d'un adulte dans la maison. Des parents en conflit peuvent redouter toute intrusion dans l'intimité familiale. Des parents qui vivent dans des appartements trop petits ne désirent pas non plus que des enfants envahissent leur espace intime. Chaque famille a un mode de fonctionnement organisé en fonction de la vie du couple, de l'histoire familiale, de la culture d'origine. Il n'y a pas à juger les attitudes des uns et des autres.

Philippe, jeune père de famille qui adore inviter les amis de ses enfants, a fait les frais de cette solitude imposée ; il me raconte : « Lorsque j'étais enfant, aucun copain, aucun camarade de classe ne franchissait notre seuil. Le monde extérieur, vécu comme perturbateur, n'avait pas accès à nous en dehors du courrier. »

« MON ENFANT EST TOUJOURS CHEZ LE VOISIN »

Il n'y a pas lieu de s'inquiéter quand son enfant déserte temporairement le foyer familial pour la maison du copain. Dans mes consultations, j'ai pu observer combien ces enfants « explorateurs », curieux de connaître d'autres modes de vie, d'autres fonctionnements familiaux tiraient profit de ces incursions en territoires inconnus. L'idée que tout est tellement mieux chez le voisin est d'une très grande banalité et n'est jamais inquiétante. Ce n'est pas parce que l'enfant quitte sa famille pour se rendre souvent chez celle de son copain qu'il est pour autant prêt à changer de famille. Qui n'a pas connu cette illusion que la famille parfaite est celle du voisin ?

Lorsque les parents sont agacés par le fait que leur enfant est toujours « fourré » chez les parents de ses amis, ils peuvent aussi négocier, inviter à l'échange : « Un jour chez lui, un jour chez nous, par exemple... »

Le roman familial

Cette idée que les autres familles sont meilleures que la sienne peut être mise en relation avec « le roman familial » décrit par Freud. Freud a en effet découvert dans les récits d'enfance de ses patients en analyse cette construction fantasmatique qu'il a dénommée « le roman familial ». Il s'agit en effet d'un roman inventé par les enfants lorsqu'ils ont dépassé la phase d'amour et d'idéalisation de leurs parents et qu'ils se permettent alors d'être tout à fait critiques à leur sujet. L'enfant pense que la famille dans laquelle il vit est beaucoup trop banale et ordinaire. Il s'invente alors une autre filiation qui lui permet en même temps de sortir des rivalités qu'il entretient avec sa mère ou son père autant qu'avec ses frères et sœurs. Plutôt que d'être évincé par ses parents ou par sa fratrie, c'est lui qui les rejette. Il construit alors ce rêve qu'il est issu d'une famille princière noble et qu'il est donc étranger à ses parents bien trop simples, malintentionnés, grossiers et frustrants. Ses vrais parents, le roi et la reine, l'auraient abandonné pour des raisons secrètes. Les parents chez qui il vit l'auraient adopté, sans le lui avoir jamais dit. Ils l'auraient reçu en cadeau ou même volé à sa « vraie » famille d'origine royale. Un jour, comme un prince de conte de fées, il retrouverait son vrai père le roi, sa vraie mère la reine.

FAUT-IL S'INQUIÉTER QUAND UN ENFANT EST SECRET ?

Quelques enfants aiment garder leurs amitiés totalement secrètes. Dans une même fratrie, certains aiment recevoir leurs amis, aller leur rendre visite, d'autres préfèrent instaurer une frontière entre leurs amis et leurs familles. Certains enfants très sensibles aux commentaires des adultes préfèrent ne pas se mettre en danger. Il n'y a pas à s'inquiéter d'un enfant secret. Sauf lorsqu'il change brutalement d'un jour à l'autre, se met en retrait, parle de moins en moins. Cette attitude peut laisser supposer qu'il a subi un racket, qu'il vit une situation de chantage avec un autre enfant de son âge ou plus grand. Les parents doivent alors intervenir de façon respectueuse et ferme. Ils peuvent énoncer leurs craintes. S'il est certes important de respecter son jardin secret, il est tout à fait essentiel de ne pas rester étranger aux fréquentations d'un jeune enfant. Cette exigence doit lui être formulée et explicitée. L'exercice n'est pas toujours facile, mais il est important de ne pas perdre ce lien avec son enfant qui parfois lui-même est dans une position paradoxale : comme nous l'avons déjà mentionné, il désire garder le secret sur sa vie affective, en même temps qu'il aimerait parfois demander des conseils à ses parents sans avoir le sentiment de perdre la face.

Afin que l'enfant puisse se confier aux adultes qui l'entourent sans perdre confiance en lui, il importe que la personne choisie pour l'écouter confirme qu'elle ne dévoilera à quiconque aucune des confidences qui lui sont faites. Une fois qu'il se sent en sécurité affective, il peut ainsi oser dénouer des relations amicales trop lourdes et trop difficiles à vivre pour lui.

FAUT-IL S'INQUIÉTER QUAND UN ENFANT EST SOLITAIRE ?

Certains enfants en trop forte demande affective sont parfois l'objet de rejets de la part de ceux qu'ils tentent de solliciter. Ils sont trop « collants », on les évite. Certains expriment en effet leur demande d'amour et d'amitié de façon soit trop intense, soit trop agressive, comme s'ils n'avaient pas le mode d'emploi sur la bonne façon de s'approcher des autres. Il peut s'agir d'enfants qui ont été privés de leur père ou de leur mère ou qui ont connu des maltraitances dans leur famille. Ils ne trouvent pas la bonne distance avec les autres ; ce décalage les met à l'écart car les camarades sentent que quelque chose ne va pas, sans pouvoir le formuler. La solitude dans ce cas-là n'est pas volontaire ; elle doit alerter tout adulte responsable.

Certains autres choisissent de s'isoler de leur communauté de pairs parce qu'ils n'arrivent pas à quitter

une mère ou un père fragiles que, d'une façon inconsciente, ils tentent de protéger et de soigner. Ils ont une
maturité trop précoce et ne trouvent aucun sujet de
conversation commun avec les autres enfants. Être solitaire est une manière de se protéger et doit être perçu
comme une capacité à assumer seul(e) ses difficultés – ce
qui est bien évidemment une incontestable force. Il est
tout à fait important de les laisser tranquilles et de faire
confiance à leurs possibilités de cicatriser leurs plaies
avec le temps.

Sans aller jusqu'à ces cas extrêmes, des enfants qui
font la loi chez eux et n'ont donc pas l'habitude de se
soumettre aux règles communes peuvent être exclus d'un
groupe d'enfants pour cette raison précise. Ils auront du
mal à se socialiser, refusant tout simplement leur place
d'enfant, préoccupés qu'ils sont de tenir tête à l'adulte.

Il y a souvent une explication à la solitude ; elle n'est
pas un handicap en soi et doit être respectée, quand elle
correspond à un besoin circonstanciel.

Les conditions de vie (professions des parents qui
obligent à de fréquents déménagements, divorces...) peuvent être un obstacle à construire des amitiés stables ;
chaque enfant réagit en fonction de sa personnalité et de
son histoire affective.

Certains enfants se réfugient dans la solitude, d'autres, au contraire et parfois pour des motifs proches, passent d'une amitié ou d'une histoire amoureuse à une autre. Ils sont souvent en conflit avec les autres. Ils peuvent mettre en accusation les copains qu'ils déclarent instables, leur fratrie, leurs parents, l'un ou l'autre enseignant. Ils peuvent aussi déclarer que les enfants de leur classe sont « nuls », pas intéressants, pas fidèles. Il n'est pas toujours facile d'appréhender « une seule vérité ». Les parents peuvent être irrités et inquiets de voir leur enfant papillonner. C'est un exercice parfois difficile, mais toujours riche pour les relations entre parents et enfants, que de rester attentif aux manifestations exagérées et tenter de ne pas s'inquiéter d'une agitation ou d'une solitude qui paraît excessive. À certains moments de leur vie, certains enfants ont besoin de découvrir les autres en multipliant les contacts, d'autres en observant les autres à distance depuis leur « fenêtre », leur poste d'observation.

LES PEINES DE CŒUR, LES CRISES DANS L'AMITIÉ : S'EN MÊLER OU PAS ?

« C'est pas la peine que je me confie à eux : y peuvent rien y comprendre », affirment certains enfants. Ou encore : « Je les connais, je sais qu'ils peuvent pas s'empêcher de parler de moi : ils raconteront mes confidences à toute la famille et à leurs amis. Je n'ai pas du tout envie qu'ils parlent de moi à tout le monde. Je ne veux pas non plus qu'ils se moquent de moi, de mes amis et de mes sentiments. »

Si les parents ont parfois envie de provoquer des discussions sur des sujets aussi intimes que l'amitié ou l'amour, il leur faut savoir que, selon le moment et selon l'humeur, leur progéniture oscille généralement entre le désir de raconter et l'envie de garder leur vie secrète. C'est tout l'un ou tout l'autre... Même s'il n'est pas toujours facile de rester neutre, les parents ont à respecter l'évolution sentimentale de leur enfant, à chaque étape de sa vie. Un certain nombre d'impératifs sont essentiels à respecter : ne pas à être intrusif, ne pas céder au désir de « tout savoir » – ne pas procéder, par exemple, à des fouilles de la chambre, ni à des interrogatoires répétés.

Il ne faut pas se moquer de l'intérêt qu'un enfant peut manifester pour un autre, ni le banaliser, quand bien même cette attirance ne serait pas partagée par les adultes. Tel enfant de parents plutôt intellectuels peut se sentir attiré par un camarade mondain et un rien frimeur dont les parents préfèrent aux sorties théâtrales et aux concerts les vacances dans des stations à la mode.

Étienne le « merlan frit »

Étienne ne cesse de parler de Juliette qui est sa voisine de classe. Elle est la « coqueluche » de tous les garçons. Les parents d'Étienne ne partagent pas du tout l'admiration de leur fils pour Juliette qui leur paraît un peu trop fofolle et agitée, trop préoccupée aussi de son look à leur goût. Lorsque la maman ose dire à son mari, en présence de son fils, que celui-ci regarde Juliette avec des yeux de « merlan frit », Étienne en devient cramoisi de honte. Avant de s'enfuir dans sa chambre, il hurle : « Tu me prends toujours pour ton bébé de 3 ans. Ce que tu dis est complètement faux : Juliette m'est totalement indifférente. Je ne te permets pas de te moquer de moi. » Il n'adressera plus la parole à ses parents pendant une dizaine de jours.

Certaines familles, et souvent les mères plus que les pères, interviennent trop dans la vie sociale de leurs enfants. Elles se montrent très attentives à tout ce qui se passe entre eux et sont rarement récompensées de leurs efforts car elles n'obtiennent en retour que peu d'informations sur ce que vivent vraiment leurs enfants. Quand quelque chose les préoccupe, ils s'arrangent pour nous le faire savoir ; sachons donc écouter. C'est ainsi qu'il est parfois utile de deviner, derrière des propos anodins – un prénom qui revient souvent, une lubie pour une activité nouvelle qui ne présentait aucun intérêt auparavant –, des confidences masquées et finalement une grande envie de partager avec ses proches ce qu'on vit de nouveau et de

beau. Ce peut être un amour naissant ou une grande amitié. Souvent avant l'adolescence, entre le désir de rester
proches et se confier et celui de ne rien dire, les enfants
trouvent un moyen détourné, une stratégie pour aborder
des questions intimes. Ils font l'âne pour avoir du son et, à
l'occasion d'un film, d'une émission télévisée regardée en
famille, peuvent poser des questions sur des sujets qui les
travaillent, sans avoir l'impression de s'exposer. Le dialogue peut ainsi s'instaurer sur des thèmes délicats à aborder en famille comme la sexualité, les risques du sida, la
définition de l'amour, la fidélité en amitié, à l'intérieur d'un
couple, etc.

Il est peut-être nécessaire alors, en tant qu'adulte, de
parler de soi et, sans dévoiler son intimité, ni donner de
conseils, relater l'une ou l'autre de ses expériences pré-
sentes et passées. L'enfant comprend ainsi que ses préoccupations, loin d'être condamnées, sont partagées et
prises en compte. Certains parents pensent parfois que
leurs enfants sont trop jeunes pour être amoureux, que
ce n'est pas de leur âge d'éprouver de telles émotions,
qu'ils peuvent bien attendre.

Ne pas se mêler de leurs affaires de cœur ne signifie pas
« ne pas s'en soucier » mais impose de n'intervenir qu'à
la demande, même si elle est formulée de manière
détournée ; cela signifie qu'ils ont besoin d'entendre des

paroles d'adultes mais n'attendent pas obligatoirement de conseils.

RIVALITÉS, JALOUSIES, CHAGRINS : FAUT-IL INTERVENIR ?

Nous avons vu que cette période dite « de latence » est pleine de turbulences : rivalités, jalousies, chagrins sont le lot quotidien. Certains enfants peuvent subitement faire des cauchemars, des crises de colère ou perdre leur dynamisme. Ils peuvent également être plus souvent malades. C'est ainsi que des enfants que je soignais m'ont fait le récit de leur très grande tristesse à la suite du rejet brutal, injuste et inexpliqué dont ils ont été victimes de la part d'un(e) ami(e) ou d'un groupe d'amis.

Comme en d'autres circonstances, malgré leur compassion, il est préférable que les parents n'émettent aucun jugement sur le comportement de l'enfant ou de l'ami(e) qui s'est éloigné(e). Ils n'ont pas à prendre au pied de la lettre les phrases définitives et les chagrins qui paraissent immenses. Écouter, être présent le plus et le mieux possible, ne jamais oublier que pour un enfant de 9-12 ans le temps passé depuis sa naissance est très court lorsqu'on le considère sur une durée de vie, et que les « jamais », les « toujours » les « pour toute la vie » sont à mettre en relation avec le jeune âge de l'enfant. Une semaine, un mois, pour un enfant de 10 ans, représentent bien plus que le même temps rapporté à une vie adulte. Pas plus qu'un excès de compassion, la moquerie, la dépréciation ne sont de mise. Lorsque l'un des parents est trop ému car ces émotions lui évoquent des événements de sa propre histoire, il est tout à fait utile de proposer à l'enfant de parler de son chagrin avec l'autre parent. Il n'est jamais interdit de prendre un enfant dans ses bras, de le bercer, le consoler, lui dire que l'on comprend son chagrin, même à cet âge où il n'est plus tout petit... Si l'enfant le permet, il est tout à fait possible aussi de l'autoriser à régresser. Un câlin, une parole tendre ne présentent aucun danger de régression durable pour un enfant si proche de sa petite enfance. Et même parfois pour un plus grand ! Entre l'excès de compassion et le grand désir de voir son enfant accéder à un âge de raison, il y a bien entendu une attitude qui n'est pas toujours facile à trouver, mais il est toujours possible de « sonder » le terrain et de moduler son comportement en fonction de la réaction de l'enfant. Lorsque, par chance, les grands-parents ne sont pas éloignés géographiquement et sentimentalement, leur présence peut être tout à fait utile. Il est parfois plus facile à un enfant de se laisser aller sans crainte dans les bras grands-maternels ou grands-paternels que dans ceux de ses parents. Le plus souvent, les pères se tiennent plus à distance et, se laissant moins aller à la compassion, apportent un soutien tout aussi important, bien que discret. Cette présence/absence est une chance pour apprendre à affronter l'avenir. Bien entendu, tous les cas de figures peuvent se rencontrer : les pères peuvent s'identifier très fortement à leur enfant et souffrir comme lui ; les mères peuvent se montrer, quant à elles, trop distantes... Quel que soit leur mode d'intervention, les deux parents ont un rôle à jouer et ce rôle leur appartient.

Il est parfois difficile de ne pas projeter ses propres émotions sur son enfant, tant est grand le désir de le protéger des dangers réels ou imaginaires que représentent les relations avec d'autres. Chaque parent a tendance à se voir dans son enfant comme dans un miroir, à le considérer comme l'ancien petit enfant qu'il ou elle était avec ses propres parents. Ces projections n'aident pas à apprécier certaines situations avec la distance qu'il faudrait. Des intrusions dans ses activités peuvent constituer un frein à sa relation avec les autres. Pour trouver le moyen terme entre une trop grande vigilance et une trop grande liberté, un temps d'adaptation est indispensable et permet à chacun d'évoluer à son rythme.

Fort heureusement, l'enfant n'est pas seul face aux émotions de ses parents. Dès qu'il est socialisé, il entre dans un réseau d'interactions avec d'autres adultes aussi, ses enseignants, d'autres enfants, des psychologues... qui, chacun à leur façon, joueront leur rôle en partageant des moments de vie avec lui. C'est ainsi que, dans les cas les plus heureux, se libérant des projections et identifications maternelles ou paternelles, un enfant peut arriver à inventer, dans ses relations avec autrui, ses propres modes relationnels.

À quel moment faut-il envisager une consultation psychologique ?

Lorsqu'un enfant s'enferme dans sa tristesse, est de plus en plus solitaire à la maison et à l'école ou, au contraire, se montre très agité, agressif vis-à-vis des autres, et que la situation se prolonge : dans les deux cas, on peut conseiller à la famille de consulter un(e) psychologue, un(e) pédopsychiatre, dans le privé, en CMPP ou en secteur hospitalier, qui proposera une aide adaptée à l'enfant et à ses parents et préconisera ou non une psychothérapie. Certains signes et certains problèmes relationnels répétitifs peuvent légitimement inquiéter et témoigner en effet qu'un enfant est en souffrance.

Cette démarche n'a rien de consumériste ; il ne s'agit pas de déposer l'enfant chez le « psy » en attendant que celui-ci règle le problème de manière magique, mais bien d'être partie prenante dans le processus en participant aux entretiens dans un premier temps, pour décider de la suite à donner. C'est parfois à l'enfant seul qu'est proposée une prise en charge par un professionnel. Celui-ci utilisera le jeu, le dessin ou la parole pour accéder à la vie psychique de l'enfant.

De nombreux travaux récents ont fait évoluer les façons d'aborder la vie psychique des enfants (notamment ceux de Marie-Cécile et Edmond Ortigues avec qui j'ai eu la chance d'échanger sur ma pratique au sein de leur groupe de recherche). Le cadre est devenu plus souple. L'enfant est aujourd'hui de plus en plus souvent accueilli avec l'un de ses parents ou les deux, ou avec un éducateur, avant d'être reçu seul, s'il en est d'accord. En excluant les situations où l'enfant est en danger, il est difficile, sinon impossible, de travailler sans l'accord des parents car un enfant peut difficilement « s'abandonner » et se confier à un adulte extérieur à la famille si ses parents y sont opposés. Il faut savoir que les psychologues et psychanalystes (selon la technique et la théorie avec lesquelles ils travaillent) ont des méthodes qui peuvent être différentes les unes des autres. Les psychothérapeutes familiaux, par exemple, travaillent en équipe (ils sont deux ou trois professionnels) avec toute la famille réunie autour de l'enfant. Quand les parents sont rétifs à la « psy », il est difficile d'arriver à des résultats intéressants avec l'enfant. Son symptôme peut d'ailleurs trouver ses racines dans l'histoire du père ou de la mère, et il faudra que le parent concerné élucide ce phénomène de répétition pour lui-même. Il peut ainsi être amené à faire un travail d'élaboration psychique (qui peut éventuellement le conduire à prendre la décision d'effectuer une psychanalyse) avec un autre professionnel en un autre lieu. Parfois aussi, il peut continuer à travailler avec le psychologue ou le pédopsychiatre qui a suivi son enfant ; c'est, dans ce cas, le thérapeute qui le propose en accord avec sa manière de travailler.

Et pour surtout ne pas conclure, le mot de la fin sera : écoutez-les, soyez présents quand ils ont des questions, mais laissez-les conduire seuls leur vie sentimentale en gardant un œil sur ce qui se passe (un équilibre est à trouver entre laxisme et haute surveillance) car la vie de nos enfants ne nous appartient pas.

CONCLUSION

> *« Traitez les êtres comme s'ils étaient ce qu'ils*
> *devraient être et vous les aiderez à devenir ce*
> *qu'ils peuvent être. »*
> Goethe

Cette citation constitue un juste épilogue aux propos développés dans les différents chapitres de ce livre.

En termes sobres et clairvoyants, le grand écrivain et poète Goethe exprime une idée qui peut concerner les relations entre adultes autant que celles des parents avec leurs enfants. *Aider* les enfants à *devenir*, n'est-ce pas là en effet le fondement de l'éducation ? Les *traiter comme s'ils étaient* (aujourd'hui) *ce qu'ils devraient...* et ce *qu'ils peuvent... devenir*, n'est-ce pas les respecter et les prendre en compte tels qu'ils sont, en fonction de leurs potentialités, tout en leur indiquant une légitime direction ? En matière de sentiments, il en est de même : aucun adulte ne peut vivre à la place de l'enfant ses expériences affectives, mais les relations des adultes entre eux serviront à l'enfant pour s'enrichir lui-même et trouver son propre mode relationnel.

Jusqu'à la première moitié du XXᵉ siècle, l'enfant était considéré comme une cire vierge et malléable sur laquelle la famille et les éducateurs gravaient les règles et les façons de vivre édictées par la société. Les années 1960 inaugurent une juste remise en question de ces préceptes : l'enfant n'est plus un objet à façonner mais un sujet. Dans les décennies qui suivent, une lecture erronée de la théorie psychanalytique amène certains à considérer que ce sujet enfant doit garder une totale liberté pour développer ses potentialités créatives et affectives... Progressivement détournée de son but éducatif, l'idée de liberté est utilisée par la publicité. Dans leurs amitiés ou leurs histoires d'amour, les enfants sont encouragés à devenir de petits consommateurs. Face à ces dérives, de nombreuses personnes aujourd'hui s'interrogent.

L'idée du respect qui est dû à chacun demeure, à mon avis, primordiale, mais nous défendons ici l'idée que les enfants ne peuvent être considérés comme totalement souverains. Les parents et les éducateurs contribuent de façon essentielle, implicitement et activement à leur existence, avant que ceux-ci n'en deviennent les acteurs. Il est donc fondamental que les adultes occupent leur juste place générationnelle avec leurs conceptions éducatives et leurs exigences, serait-ce en reconnaissant leurs limites. À l'idéal nul n'est tenu !

Dans les relations amicales et amoureuses que nous avons abordées aux âges qui précèdent l'adolescence, il ne s'agit pas de laisser l'enfant « faire sa vie » sans contrôle et sans limite aucune ; il ne s'agit pas non plus de prôner le retour aux attitudes inverses : intervenir avec excès dans les relations entre enfants, les diriger, les imposer, les interdire, les punir...

Comment trouver la juste mesure ?

Nous avons montré combien il importe que l'un et/ou l'autre parent soient présents auprès de l'enfant, présents en des temps qui varient bien entendu en fonction de l'âge de celui-ci, comme en fonction de la vie professionnelle et personnelle de l'adulte. *Présence* signifie « une présence corporelle, un exemple à suivre (ou à contester !), une main à tenir, des épaules qui soutiennent », mais essentiellement aussi « une présence symbolique qui passe par le langage » : des rêves à partager et des paroles sur lesquelles l'enfant peut s'appuyer. Certaines édictent les lois, disent ce qui est autorisé ou ce qui est interdit. D'autres invitent au dialogue, lorsqu'il est possible, et à l'écoute selon le tempérament et le profil de chacun : celui du parent et celui de l'enfant, plus ou moins leader ou solitaire, plus ou moins rebelle ou docile... Cependant, pas plus la « nature » que l'environnement ne sont déterminants : des métamorphoses peuvent survenir à tout âge – il est bon de le garder à l'esprit pour ne rien figer d'un comportement. Se méfier de tout étiquetage qui enfermerait l'enfant.

Bienveillance est le terme qui désigne le mieux, à mon avis, le difficile équilibre à atteindre entre l'adulte et l'enfant. On peut y entendre le fait de *veiller* sur le *bien*-être de ce dernier, qui implique la vigilance et parfois l'indulgence (des désaccords sont admis et même souhaitables), mais qui exclut la protection exagérée et la complaisance. Être bienveillant requiert la fermeté et de temps en temps une certaine dose de renoncement, car les « guerres » et les tensions excessives ne rendent service à personne.

Il est préférable de partager cette *veille* à plusieurs : avec l'autre parent si possible, avec un ou une autre de la famille, avec d'autres personnes extérieures à la famille. Il peut arriver que les amis des parents ou les parents des amis des enfants occupent cette fonction. Lorsque des crises se répètent et se prolongent, il peut être nécessaire de recourir à des professionnels.

Comment tenter de conjuguer directivité et liberté ? Comment écouter les enfants, se montrer sécurisant, attentif, et en même temps les encourager à prendre leur vie en main et donc à entrer dans le monde complexe de la relation ? Ces interrogations essentielles ne cessent de questionner et féconder la pensée...

BIBLIOGRAPHIE

Livres

Sigmund FREUD, *Trois Essais sur la théorie sexuelle*, Paris, Gallimard, 1987.

Sigmund FREUD, *Introduction à la psychanalyse*, Payot, 1965.

Sandor FERENCZI, *Psychanalyse IV*, « Œuvres complètes », Paris, Payot, 1927-1933, trad. fr. par l'équipe de traduction du Coq Héron.

Donald W. WINNICOTT, *De la pédiatrie à la psychanalyse*, Paris, Payot, 1969.

Donald W. WINNICOTT, *L'Enfant et sa Famille*, Paris, Payot, coll. « Petite Bibliothèque Payot », 1991.

Françoise DOLTO, *Quand les parents se séparent*, Paris, Seuil, 1988.

Françoise DOLTO, *Psychanalyse et Pédiatrie*, Paris, Seuil, 1971.

Françoise DOLTO, *Enfances*, Paris, Seuil, 1999.

Bertrand CRAMER, *Profession bébé*, Paris, Hachette Littératures, coll. « Pluriel », 1989.

Daniel N. STERN, *Le Monde interpersonnel du nourrisson*, Paris, PUF, 1985.

Christine ARBISIO, *L'Enfant de la période de latence*, Paris, Dunod, 2007.

Danièle BRUN, *La Passion dans l'amitié*, Odile Jacob, 2005.

Edward T. HALL, *La Dimension cachée*, Paris, Seuil, coll. « Points », 1978.

Edward T. HALL, *Le Langage silencieux*, Paris, Seuil, coll. « Points », 1984.

Fred UHLMAN, *L'Ami retrouvé*, Paris, Gallimard, coll. « Folio », 1978.

François PERRIER, *L'Amour*, Paris, Hachette Littératures, 1994.

Michaël ENDE, *Momo*, Paris, Stock, 1980.

Nathalie SARRAUTE, *Enfance*, Paris, Gallimard, coll. « Folio », 1983.

Simone RUBIN, *Apprivoiser les maladies de bébé*, Toulouse, Érès, 1998.

Susie MORGENSTERN, *Lettres d'amour de 0 à 10 ans*, Paris, L'École des loisirs, 1996.

Myriam DAVID et Geneviève APPEL, *Löczy ou le Maternage insolite*, Paris, éd. du Scarabée, 1973.

Emmi PIKLER, *Se mouvoir en liberté dès le premier âge*, Paris, PUF, 1979.

Sous la direction de Maryse VAILLANT et Ariane MORRIS, *Encyclopédie de la vie de famille*, La Martinière, 2004.

Robert DESNOS, *Un poète*, Paris, Gallimard, coll. « Folio Junior », 1980.

Alexandre POUCHKINE, *Poésie*, traduction, introduction, chronologie et notes de Claude Frioux, bilingue, éd. Librairie du globe, 1999.

Marie-Cécile et Edmond ORTIGUES, *Comment se décide une psychothérapie d'enfant ?*, Heures de France (HDF), 2005 pour la 3e édition.

Sous la direction d'Edmond et Marie-Cécile ORTIGUES, *Que cherche l'enfant dans les psychothérapies ?*, Toulouse, Érès, 1999.

Revues

L'École des parents, « Protéger l'enfant d'un usage incontrôlé du Web », septembre 2006, n° 559, hors série.

Le Coq Héron, « Raisonner sur la clinique I, II, III », sous la direction de Marie-Cécile et Edmond ORTIGUES : n° 115 (1990), n° 137 (1995), n° 172 (2003), Toulouse, Érès.

Enfances & Psy, n° 31, « Les copains : liens d'amitié entre enfants et adolescents », Toulouse, Érès, 2006.

Table des matières

CHAPITRE I
AU COMMENCEMENT ÉTAIT LA LIBIDO

CHAPITRE II
COMMENT L'AMOUR VIENT AUX ENFANTS

CHAPITRE III
SENTIMENTS, AMITIÉS, AMOURS :
L'IMPORTANCE DE LA VIE AFFECTIVE

CHAPITRE IV
AMITIÉ ET AMOUR : QUEL MODÈLE
TRANSMETTONS-NOUS À NOS ENFANTS ?

CHAPITRE V
COMMENT AIDER NOS ENFANTS À VIVRE LEUR VIE AFFECTIVE, AVEC SES BONS ET SES MAUVAIS CÔTÉS

© Hachette Livre (Marabout), 2008

Photocomposition Nord Compo.

Imprimé en Espagne par Rodesa.

Pour le compte des Éditions Marabout.
Dépôt légal : Février 2008
ISBN : 978-2-501-04918-4
40.9851.3
Édition 01